Bouleversements

François Hollande

Bouleversements

Pour comprendre
la nouvelle donne mondiale

Stock

Couverture : le-petitatelier.com
Photo auteur : © Astrid di Crollalanza

ISBN 978-2-234-09399-7

INTRODUCTION

En dix ans, le monde a basculé. La démocratie, qui semblait avancer inéluctablement, est désormais sur la défensive. Le progrès et la cohésion sociale, qui paraissaient solides, sont maintenant en crise. La liberté, qu'on croyait inaltérable, se retrouve entamée. La paix, qu'on pensait établie en Europe, a été rompue par l'agression russe contre l'Ukraine, consacrant ce changement d'époque.

De cette décennie de bouleversements, j'ai été l'acteur et le témoin, comme chef de l'État pendant cinq ans puis comme observateur averti, nourri par de multiples rencontres. J'ai côtoyé la plupart des dirigeants qui dominent aujourd'hui la scène internationale, Vladimir Poutine, Xi Jinping, Joe Biden, Recep Tayyip Erdogan ou Mohammed Ben Salmane. La France, que j'ai eu l'honneur de présider, doit faire face à de nouvelles menaces qui l'obligent à réviser sa stratégie, à changer sa politique, à réformer sa société et son économie, à repenser son avenir. À la lumière de mon expérience, je veux aujourd'hui partager avec mes concitoyens mes réflexions sur les choix difficiles qui attendent notre pays. Dans ce monde qui a changé de base, dans ce siècle dangereux où les pays de liberté comme le nôtre sont désormais les cibles des autocrates, où le sort de chacun d'entre nous, dans sa vie quotidienne, dans sa sécurité et dans son travail, est maintenant en risque, la France doit suivre une voie nouvelle. C'est celle-ci que je veux éclairer.

À la chute du mur de Berlin, l'optimisme s'était répandu dans les cercles dirigeants de la planète et, pour une bonne part, dans l'opinion. La démocratie avait failli disparaître dans la première moitié du XXe siècle, à la suite de ce suicide de la civilisation qu'avait été la Grande Guerre et de la barbarie nazie qui avait succédé. En 1989, à la fin de la guerre froide et après deux conflits planétaires, la démocratie avait vaincu ses ennemis. Elle l'avait emporté contre les fascismes en 1945, elle avait relevé le défi du communisme totalitaire et provoqué la disparition de l'URSS, elle avait accompli, non sans mal, le processus de décolonisation, maîtrisé les soubresauts du capitalisme qui avaient failli lui être fatals dans les années 1970 et 1980 avec les chocs énergétiques, elle avait conjuré le péril nucléaire et instauré une paix durable en Europe et dans les Amériques.

La chute du Mur achevait cette contre-offensive victorieuse et consacrait la domination des démocraties dans le monde, emmenées par la première d'entre elles, les États-Unis, cette « hyperpuissance » dont la force idéologique, économique et militaire lui conférait le rôle de gendarme du globe. La mondialisation avait pris son essor dans les années 1980, portant toujours plus haut la production de biens matériels, tirant de la misère des centaines de millions d'habitants des pays du Sud, enclenchant une ère de révolutions technologiques décisives. À tel point qu'un essayiste américain avait proclamé « la fin de l'Histoire ». La formule avait été moquée mais Francis Fukuyama entendait par là non la fin des événements ou des crises, mais l'établissement d'une sorte de consensus mondial, plus ou moins assumé, plus ou moins hypocrite, mais robuste, autour des principes en vigueur dans les démocraties : large conversion à l'économie de marché, extension continue des libertés publiques et ouverture des frontières au profit d'une coopération internationale dominée par les États-Unis. En dépit de toutes les traverses, de tous les reculs, de toutes les convulsions, l'avenir du monde semblait écrit.

Le choc du 11-Septembre a mis à mal cette vision irénique. Le terrorisme islamiste a ramené les sociétés tranquilles aux réalités d'une planète secouée de conflits, de haines et de violences. Au même moment, la prise de conscience du dérèglement climatique écornait l'idée d'une marche sans fin vers la prospérité. Enfin, la crise financière rappelait que le capitalisme restait ce système injuste miné par des déséquilibres périlleux et que les peuples avaient leur mot à dire pour choisir leur destin.

Pourtant, les gouvernements des démocraties semblaient capables de surmonter ces épreuves. La lutte contre le terrorisme avait conduit à l'élimination du régime des talibans en Afghanistan puis de Daesh en Syrie et en Irak, à l'exécution de Ben Laden et à une vigoureuse répression des réseaux islamistes partout dans le monde. La concertation internationale et l'action des banques centrales avaient jugulé la tourmente financière. Le message du GIEC, ces experts reconnus pour leur sérieux et leur indépendance, comme les conférences climatiques organisées tous les ans laissaient espérer une action conjointe pour sauvegarder la planète.

Aujourd'hui, tout a de nouveau changé. En dix ans, c'est désormais la position dominante des systèmes politiques occidentaux qui est ébranlée, en même temps que la paix européenne et l'équilibre du monde. À la différence de ce que pensait Fukuyama, la démocratie est concurrencée par des régimes autoritaires ou théocratiques qui lui opposent un modèle radicalement différent et ne cessent de marquer des points. L'offensive des nouveaux empires, russe et chinois au premier chef, a mis fin à la prédominance des régimes de liberté qui semblaient un horizon commun. En dépit des coups qui lui sont portés, le terrorisme islamiste continue son œuvre maléfique au Moyen-Orient, en Afrique et en Asie. Malgré la bonne volonté affichée lors des conférences sur le climat, le réchauffement s'accélère et les dommages infligés à la nature continuent de s'accroître.

La mondialisation est maintenant contestée dans son principe comme dans ses résultats, et les réactions identitaires et nationalistes se manifestent partout sous des formes différentes, y compris la violence. La pandémie mondiale a mis en lumière la fragilité des États et la vulnérabilité des populations. La guerre, enfin, a de nouveau fait irruption sur le continent européen. C'est notre confiance dans le futur qui s'est soudain assombrie. Comme l'avait prophétisé Paul Valéry, nous savons que les civilisations sont mortelles, mais nous découvrons avec stupeur notre vulnérabilité globale. Virus, climat, guerre, pénuries, famines... le temps des catastrophes semble être advenu. Les peurs font le jeu des complotistes de toutes sortes et des populistes de toutes catégories. Elles sont activées par les régimes autoritaires pour évaluer notre capacité de résistance et notre volonté de préserver, quel qu'en soit le prix, notre mode de vie.

Comment en est-on arrivé là ? Quels sont les événements, les personnalités, les tendances qui expliquent cette nouvelle donne ? Quelle est la logique à l'œuvre derrière le désordre des crises et des violences ? Quels sont nos ennemis, nos alliés, nos partenaires dans cette partie qui se joue à l'échelle planétaire ? Quelles sont nos forces mais aussi nos handicaps, faits de divisions au sein de nos sociétés et de manque de lucidité face aux enjeux ? Quelles sont les grandes mutations qu'il nous revient d'accomplir par nécessité, pour notre indépendance énergétique, notre salut climatique ? Je livre ici mon diagnostic pour aider à comprendre le monde nouveau qui nous entoure. Je souhaite, tout autant, ouvrir les pistes qui nous permettront de conjurer les menaces, de surmonter les défis et de permettre à la France de faire son chemin dans cet univers transformé par les bouleversements du XXIᵉ siècle.

PREMIÈRE PARTIE

2012-2022

Les dix ans
qui ont changé le monde

2012

Nos nouveaux ennemis

Il est des rencontres qui sont des révélations. Celle que j'ai eue le lendemain de mon élection avec Vladimir Poutine fut particulièrement éclairante : c'est là que j'ai commencé à percevoir le grand basculement qui allait marquer la décennie.

Dans mon bureau de l'Élysée, ce 1er juin 2012, le président russe a soudain demandé un papier et un crayon. Sur la feuille que l'huissier lui apporte, il trace une carte sommaire de l'Europe centrale et pointe les différents pays qui bordent la Russie à l'ouest. Puis il dessine de petits cercles qui indiquent l'emplacement des missiles de l'OTAN braqués, dit-il, sur son pays. Je lui objecte que ces équipements sont défensifs, qu'ils sont là pour dissuader une éventuelle attaque, et non pour lancer des offensives. J'ajoute qu'ils ont été déployés en raison de la situation au Moyen-Orient, plongé dans la guerre, et qu'ils visent à prévenir toute agression venue des puissances hostiles de cette région, à commencer par l'Iran. Alors il tire plusieurs traits qui figurent la portée des engins de l'OTAN, désormais capables, montre-t-il, d'atteindre toutes les grandes villes de Russie. « Combien de kilomètres ces missiles peuvent-ils parcourir ? demande-t-il avec une véhémence contenue. Vous le voyez ! Ils sont là contre nous ! » Il ajoute : « Si le système de défense antimissile n'est pas dirigé contre la Russie, alors donnez-nous des garanties militaires et techniques consacrées par des textes juridiquement contraignants. »

La revanche de Poutine

Poutine vient d'être investi pour un troisième mandat présidentiel. Après ceux de 2000 et 2008, il a dû ronger son frein comme Premier ministre pendant quatre ans en laissant à son plus proche protégé, Dmitri Medvedev, le rôle de chef de l'État, même à l'autorité diminuée. Il revient comme un homme pressé, avide de remonter le temps et désireux d'afficher son envie d'en découdre, d'abord en se posant en victime d'un encerclement.

Dans ce bureau, nous sommes seuls : il a demandé un tête-à-tête, avec chacun notre interprète. Il a décidé de saisir cette première visite pour m'impressionner et me lancer un avertissement qu'il entend répéter autant de fois que nécessaire. Il est affable, serein, mais je sens, derrière sa courtoisie étudiée, une froide détermination. Dès qu'il parle des États-Unis, je décèle l'hostilité qui l'anime. Elle me surprend par sa virulence, alors qu'au G8 de Camp David, un mois plus tôt, Medvedev paraissait doux comme un agneau avec Barack Obama. Il cite, non sans rancune, les reculs imposés par Washington à son pays après la chute de l'Union soviétique. Il n'a pas admis les élargissements successifs de l'OTAN et considère que les bases militaires poussent comme des champignons autour des frontières de la Russie. Il voit dans les « printemps arabes » un risque supplémentaire. Là où les démocraties s'installent, pense-t-il, l'influence de la Russie diminue. Le nom de Bachar el-Assad vient dans la conversation : une guerre civile sévit depuis un an en Syrie. La France et d'autres alliés demandent le départ du dictateur après la révélation de nombreux massacres commis par ses partisans, dans le cadre d'une répression aveugle. Il répond qu'il n'a aucun lien personnel avec lui mais qu'il respecte les gouvernements en place et agit en vertu d'un principe de précaution. « Si vous écartez Assad, demande-t-il, croyez-vous que vous ferez le bonheur de la Syrie ? L'intervention en Libye ne vous a-t-elle pas servi de leçon ? La mort de Kadhafi n'a-t-elle pas précipité le chaos ? » Il désigne la menace djihadiste, qui plane effectivement sur le Moyen-Orient. Mieux vaut une répression sanglante, dit-il, qu'une révolution islamiste. Il me rappelle comment il a réagi de manière implacable aux attentats qui ont frappé la Russie et comment il a mis un terme à la rébellion tchétchène. Et à cette évocation, son poing se serre jusqu'à blanchir ses articulations.

Vladimir Poutine n'hésite pas à encourager tous les fantasmes. Ceux qui l'approuvent – ils se sont faits plus discrets depuis le début de la guerre en Ukraine – louent son autorité et sa force, et voient en lui le modèle des dirigeants qui refusent le déclin de leur pays et qui n'hésitent pas à brandir des valeurs civilisationnelles. Les autres le tiennent pour un dictateur nationaliste cynique qui ne recule devant aucun moyen pour consolider son pouvoir et étendre l'influence du nouvel empire russe en gestation. Ces interprétations conviennent fort bien au maître du Kremlin, qui joue volontiers sur les deux ressorts de l'admiration et de la crainte. Ses silences sont compris comme autant de menaces. Il souffle à loisir le chaud et le froid, pour ne pas dire le brûlant et le glacial.

Le mensonge comme une arme

Pour préparer le sommet de Minsk de février 2015, j'avais prévu d'effectuer une visite éclair en Russie, de retour du Kazakhstan, à la fin de l'année 2014. Vladimir Poutine était venu m'accueillir à l'aéroport de Moscou en faisant assaut d'affabilité. Il m'avait aussitôt convié sur place, dans un salon, à un repas commencé au milieu de l'après-midi et qui s'était fini tard dans la nuit. En signe de sympathie, il s'était muni, pour en faire don à la France, d'une lettre écrite par Napoléon à Moscou. C'était une attention délicate autant qu'habile. Poutine aime faire tomber les barrières et surprendre. Mais il est aussi capable de colères plus ou moins feintes dès qu'il sent une résistance. Ainsi, pour illustrer la menace représentée par les islamistes et justifier son soutien à Bachar, il avait pris quelques mois plus tôt au Kremlin, devant moi, l'exemple de la guerre d'Algérie, déclarant que les Français avaient eux-mêmes combattu l'islam aux temps de ce conflit colonial, ce qui était grossier et totalement inapproprié.

Je n'ai jamais cru à une quelconque folie de sa part, ce genre de spéculation occulte l'essentiel. Il poursuit bien plus une stratégie longuement ourdie, quitte à prendre des risques considérables. Il m'est surtout apparu comme un dirigeant solitaire, qui s'appuie sur certains ministres proches, comme Lavrov, mais contrôle tout, faisant et défaisant les carrières, inspirant la crainte à son entourage. Jamais il ne s'est ouvert à moi sur sa vie personnelle, jamais je n'ai rencontré ni sa compagne ni ses enfants. Il vit dans le secret et l'isolement. Il est doté d'une vive intelligence, comprenant ses interlocuteurs à demi-mot et anticipant les arguments qui vont lui être opposés. Il utilise dans ses entretiens la méthode de la digression interminable, qui occupe le temps de l'échange, laissant penser que les négociations sont réelles alors qu'en fait il ne se passe rien. Il multiplie les détails pour mieux éviter l'échange sur le fond. Son physique, contrairement à ce qu'il fait croire, n'a rien d'impressionnant. Mais il aime entretenir le culte d'un homme revenu de toutes les épreuves les plus périlleuses, voire celui d'un combattant à peine sorti d'un camp d'entraînement. Lors de la longue nuit de Minsk en février 2015, le président ukrainien Porochenko, qui mesure pourtant un mètre quatre-vingt-dix et pèse plus de cent kilos, redoutait parfois que Poutine tente d'en venir aux mains.

Le président russe pratique un art du mensonge très élaboré, né de sa formation au KGB et d'une longue pratique de la diplomatie conçue sur le mode de la dissimulation. Non le mensonge par omission ni le simple arrangement avec la vérité, mais le mensonge énorme, invraisemblable et, pour cette raison, déconcertant. Il m'a assuré les yeux dans les yeux qu'il ne connaissait pas les séparatistes du Donbass, alors que les preuves de leur collusion sont innombrables. À Minsk, il traite les Ukrainiens de nazis alors que les extrémistes ne forment que de petits groupes marginaux. Il m'a aussi affirmé que la ville syrienne d'Alep était peuplée de terroristes au moment où il bombardait sans pitié les populations civiles, ou bien encore que les opposants syriens usaient de l'arme chimique contre leurs propres partisans pour mieux discréditer le régime d'Assad ! Ces mensonges absurdes, ahurissants, ont pour seul but de jeter le doute chez l'interlocuteur par leur énormité même et le laissent sans voix.

Poutine est un ennemi convaincu de la démocratie. Il la juge porteuse de faiblesse et de décadence.

Il s'appuie sur la tradition russe la plus réactionnaire, sur des valeurs religieuses qu'il n'applique guère pour lui-même, mais qui lui valent le soutien du patriarche orthodoxe de Moscou, lui aussi gagné au nationalisme le plus affirmé. Il annexe à ces idéologies l'héritage soviétique, qu'il voit uniquement comme une forme brutale de patriotisme et comme une des incarnations de la grandeur de son pays, notamment au temps de Staline dont il a rétabli le culte !

En ce soir de juin 2012 après mon élection à la présidence de la République, l'entretien se termine, la presse nous attend dans la salle des fêtes de l'Élysée. Je ne pourrai pas lui livrer tous les sentiments que cette visite m'inspire, surtout en présence du président russe. Mais je mesure clairement qu'une phase nouvelle s'ouvre dans nos rapports avec la Russie. De toute évidence, Poutine a décidé de reprendre les choses en main. Depuis le début des années 1990, estime-t-il, la Russie n'a que trop concédé. Elle a été contrainte de laisser les pays naguère liés par le pacte de Varsovie choisir leur destin. Contrairement aux promesses prétendument faites à Gorbatchev en 1990, au lendemain de l'effondrement du mur de Berlin, ces États se sont tournés vers l'Union européenne et ont adhéré à l'OTAN pour s'éviter tout retour dans le giron russe. Désormais, la Russie est bordée à l'ouest de pays pro-occidentaux militairement liés aux États-Unis. Pour Poutine, elle est encerclée.

Il juge donc que le temps est venu de contre-attaquer. La Russie doit retrouver le contrôle de ses marches, empêcher les pays de l'ex-Union soviétique qui ne l'ont pas encore fait de se rapprocher de l'Europe et de l'Alliance atlantique. Déjà, il n'a pas hésité à intervenir brutalement à Grozny, puis à recourir à la force en Géorgie pour reprendre l'Ossétie et l'Abkhazie. Ce rappel vaut pour la Biélorussie, la Moldavie et, bien sûr, pour l'Ukraine.

Plus largement, Poutine estime que la Russie doit retrouver son rôle mondial, qu'elle doit moderniser d'urgence son outil militaire, qu'elle ne peut plus rester passive au Moyen-Orient ou en Afrique, qu'elle ne doit plus laisser les Occidentaux dominer les instances internationales. Dans les années qui suivront, il mettra systématiquement son veto à toutes les initiatives venant des États-Unis – et même de la France – au sein du Conseil de sécurité, dès lors qu'elles menaceraient un dictateur, que ce soit en Syrie, au Soudan, en Birmanie, au Venezuela ou au Nicaragua. Cette protection vaut aussi pour la Corée du Nord et l'Iran. Tout ce qui n'est pas dans le giron occidental mérite son soutien et les droits humains n'ont rien à faire dans ses raisonnements cyniques, ni dans ce qu'il croit être l'intérêt de la Russie.

Je ne méconnais pas la vigueur du patriotisme russe dont Vladimir Poutine s'est fait le chantre. Il en abreuve son peuple à défaut de lui assurer la prospérité. Mais, comme tout nationalisme, il est stimulé par la frustration et le ressentiment. Celui d'un prestige perdu et le souvenir d'un empire dont les États-Unis auraient méthodiquement organisé l'éclatement pour mieux l'étouffer et le dominer.

Or ce réquisitoire est faux à force d'être excessif. Si les pays de l'Est ont quitté l'orbite de Moscou, c'est d'abord en raison de la volonté de leurs citoyens, instruits par l'Histoire, soucieux de sortir d'une tutelle qui leur avait pesé pendant plus de quarante ans, désireux de gagner leur indépendance et de conforter la démocratie en épousant les valeurs occidentales. L'Europe et les États-Unis ont certes avancé leurs pions pour arrimer ces nations à leur modèle, mais ils ont aussi aidé loyalement la Russie avec des crédits substantiels pour assurer sa sortie de l'économie administrée. Ils lui ont ménagé une place de choix dans les instances internationales en l'accueillant au G8 et en l'associant à tous les grands dossiers de la planète.

Vladimir Poutine affirme sans cesse que son pays est agressé. Mais s'il se méfie de l'OTAN, il craint surtout les avancées de la démocratie jusqu'à ses frontières : elles pourraient menacer, à terme, la stabilité de son propre régime. Dans ces conditions, faut-il lui céder ? Fermer les yeux sur les atteintes aux droits humains en Biélorussie et au Kazakhstan ? Le laisser reconstituer un nouvel ensemble sur les anciennes frontières de l'Union soviétique ? Négocier une paix honteuse en Ukraine ? À mon sens, non et trois fois non : ce ne serait pas une concession mais une capitulation.

Le nébuleux lobby russe

Faut-il parler d'illusion ou de naïveté ? Il y a toujours dans le paysage français – et depuis long-temps – des tenants d'une ligne de complaisance envers Poutine, qui mêle intérêts commerciaux, calculs politiques et vision stratégique. Leur idée générale est celle-ci : la France du général de Gaulle a pu établir des relations diplomatiques avec l'Union soviétique, en dépit de son régime totalitaire et de ses tentations impériales ; dès lors, pourquoi ses lointains successeurs devraient-ils s'interdire une relation équilibrée avec la Russie de Poutine ? Les rapports normalisés avec Moscou fourniraient la meilleure preuve de notre indépendance et le moyen le plus réaliste d'assurer notre sécurité, tout en nous assurant la perspective de contrats fructueux pour nos entreprises.

Ces amis de Poutine sont les héritiers d'un gaul-lisme mal digéré ou d'un mitterrandisme mal assi-milé : le Général fut le premier à faire bloc avec les États-Unis contre l'URSS au moment de la crise de Cuba en 1962, et Mitterrand adopta la même attitude au moment de l'installation des SS20 à la frontière de l'Europe de l'Ouest en 1983. J'ai eu l'occasion de vérifier la fausseté de leur raisonne-ment lorsqu'en août 2015 j'ai annulé le contrat signé en juin 2011 par mon prédécesseur et qui prévoyait de livrer deux porte-hélicoptères Mistral à la Russie.

Il me paraissait impossible de fournir ces matériels de guerre à un pays qui venait d'annexer la Crimée et de violer toutes les règles du droit international. Les Républicains de Nicolas Sarkozy parlèrent d'« une tache sur la parole de la France à l'égard d'un partenaire naturel » et d'« un jour noir pour notre politique étrangère », Jean-Luc Mélenchon de « trahison insupportable qui ridiculise la France et qui achève la vassalisation de notre pays à la main des États-Unis et de la politique belliqueuse de l'OTAN », Marine Le Pen de « décision très grave qui va à l'encontre des intérêts du pays ». À l'Assemblée nationale, ces trois partis votèrent contre le projet mettant un terme définitif à ce contrat. Sept ans plus tard, je peux aisément imaginer l'usage que la Russie aurait fait de ces navires redoutables d'efficacité dans la guerre contre l'Ukraine.

J'ai subi les mêmes critiques venant des mêmes milieux quand, en octobre 2016, j'ai jugé inopportune et déplacée la visite que Poutine devait effectuer à Paris, après la révélation de crimes de guerre commis par l'aviation russe à Alep en Syrie. Je fus accusé par la droite d'infliger un camouflet au représentant d'une grande nation. C'était oublier qu'elle manquait à tous les droits humains ! J'ai eu la surprise de voir ce groupe de pression se former de nouveau en août 2019, quand Emmanuel Macron a pris l'initiative d'inviter Vladimir Poutine au fort de Brégançon. Certes, le lieu ou le moment de cette rencontre ne pouvaient soulever une quelconque indignation. Je n'ai jamais pensé qu'un bref séjour à la mer, dans une demeure présidentielle ensoleillée, puisse être une forme de complaisance. Ce furent les mots utilisés qui m'étonnèrent. Le président français entendait « réarrimer » la Russie à l'Europe, laquelle devait aller, disait-il, de Lisbonne à Vladivostok ! Et pour s'en assurer, il proposait une architecture de sécurité et de confiance entre l'Union européenne et la Russie. J'imagine ce que cette formule pouvait inspirer à son interlocuteur, qui s'était permis, ce même jour, de comparer la répression contre les gilets jaunes en France avec les arrestations d'opposants dans son pays.

Nullement découragé, Emmanuel Macron suggéra ensuite, devant la conférence des ambassadeurs de l'automne, de rebattre les cartes avec la Russie. Il confirma trois mois plus tard, à un sommet de l'OTAN, qu'elle n'était pas notre ennemi. Il promit d'assister, en mai 2020, au 75e anniversaire de la victoire de la Russie contre les nazis, ponctué par un grand défilé militaire. Il en fut empêché par l'épidémie de Covid. Ces circonstances malheureuses auront évité des images malencontreuses ! Qui ne voit aujourd'hui, à la lumière de la situation en Ukraine, ce que valaient ces vaticinations pro-russes ?

C'est ce même raisonnement qui a conduit plus tard la diplomatie française à tenter une médiation dans la crise ukrainienne, que Vladimir Poutine a repoussée avec cynisme : s'il avait déployé une armée de cent mille hommes à la frontière ukrainienne, ce n'était pas, hélas, pour une simple gesticulation… Cette inclination à l'indulgence ne touche pas seulement des personnalités politiques sans doute inspirées par la recherche du dialogue « quoi qu'il en coûte » sur le plan moral. Elle imprègne aussi une fraction du patronat qui pense toujours qu'une bonne affaire n'a ni odeur ni pudeur et que l'argent est un lien qui assure la paix dès lors que tous les protagonistes y trouvent leur compte.

En août 2019, l'université du Medef fit une ovation à Nicolas Sarkozy qui s'était déclaré favorable à la levée des sanctions prises contre la Russie à la suite de l'annexion de la Crimée et qui avait plaidé pour la réintégration de la Russie dans le G8. Pendant ce temps, la propagande russe appuyée par les commandos Wagner dénonçait la présence française au Mali, au Sahel et en Centrafrique, vilipendait son caractère « néocolonial » et mettait en cause nos entreprises dans cette région. Comme si la faiblesse était une politique, comme si la complaisance était un investissement, comme si, surtout, le monde n'avait pas changé. L'indépendance nationale ne nous oblige pas à parler à tout le monde pour n'être fâché avec personne. Elle n'implique pas l'équidistance ou l'indifférence. Elle consiste à savoir, en fonction des intérêts de la France, ce que l'on veut et surtout ce que l'on ne veut pas.

La grande alliance

Ainsi l'année 2012 marque un tournant dans l'ordre international, ou plutôt dans l'approfondissement de son désordre. Le retour de Poutine aux affaires sonne l'offensive des régimes autoritaires. Plutôt que d'en tirer les conclusions, les Occidentaux ont poursuivi leur route et mené leur diplomatie comme si rien n'avait changé. Or, le retour de Poutine s'est doublé d'un autre avènement : celui de Xi Jinping qui devient, le 15 novembre 2012, secrétaire général du Parti communiste chinois et président de la Commission militaire centrale. Il accédera à la présidence de la République l'année suivante. Je le rencontre peu de temps après, en avril 2013, pour une visite d'État. Il veille à y mettre les formes. La Chine, il est vrai, entretient une relation spéciale avec la France. Ses dirigeants se souviennent de la reconnaissance accordée à leur régime par le général de Gaulle en 1964. Ils cherchent à cultiver ce lien en espérant jouer sur la posture indépendante de la France, pour éventuellement enfoncer un coin dans l'Alliance atlantique et partager avec nous une politique extérieure fondée à la fois sur le respect des souverainetés et sur la place des institutions internationales au nom du multilatéralisme. Xi veut me montrer qu'il incarne une nouvelle génération davantage tournée vers les grands enjeux de la planète (notamment le climat) et qui aspire à un rôle politique à la mesure de sa nouvelle puissance. Il est accompagné de son épouse, dont la profession de chanteuse donne au couple une touche d'ouverture et de modernité, dans un pays où la vie privée des dirigeants est rarement exposée. Le nouveau président est le fils d'un dignitaire communiste écarté par Mao pendant la Révolution culturelle. Beaucoup pensent à ce moment qu'il poursuivra la politique de Deng Xiaoping, lui aussi banni par Mao : prouesse commerciale, performance économique, prudence politique. Il s'exprime lentement, s'appuyant sur les notes – manifestement préparées par ses collaborateurs – qu'il lit avec application. Nous parlons surtout de l'évolution des règles du commerce mondial, des investissements que la Chine veut multiplier en Europe et de nouveaux contrats pour les entreprises françaises. Xi est inquiet des réactions américaines à la montée en gamme de l'économie chinoise. Il veut à tout prix éviter que les contentieux qui s'additionnent avec les États-Unis nuisent à ses échanges avec l'Europe.

Un an plus tard, les choses ont changé et le président chinois aussi. En mars 2014, je dîne avec lui au Grand Trianon, jadis fréquenté par les souverains de Versailles, plus brièvement par Napoléon et beaucoup plus récemment par le général de Gaulle qui y avait, pendant une courte période, installé son appartement.

Xi Jinping a pris de l'autorité. Il parle librement, son ton est assuré, il s'exprime sans aucun papier, sûr de ses raisonnements et de ses objectifs, en dirigeant incontesté d'une puissance désormais planétaire. Il a évacué ses rivaux et défini pour son pays une vision à la hauteur de son immensité et de sa prodigieuse réussite. Il est l'homme de la rupture. La Chine, sous sa férule, veut faire pièce à l'influence américaine et devenir, à l'horizon 2050, la première puissance économique mondiale. Comme Poutine, il a endossé le costume impérial. Il accroît sans cesse les moyens de son armée, il a entrepris de rétablir la pleine souveraineté de Pékin sur Hong Kong. Il y a été accueilli en maître en juillet dernier. Il déploie sa flotte dans le Pacifique, il combat les velléités de Taïwan de se situer hors de la seule et unique Chine, il s'approprie la technologie occidentale pour progressivement la dépasser, il pousse ses avantages en Afrique à coups de prêts et d'acquisitions, il s'installe en Europe voire en Amérique latine à travers le projet grandiose des « nouvelles routes de la soie ». Bref, la Chine veut être partout et d'abord là où les États-Unis ne sont pas, comme en Iran et bientôt en Afghanistan.

Cette ambition vient de loin. Le 11 décembre 2001, la Chine devient le 143ᵉ membre de l'OMC. Sa démarche est délibérément encouragée par les États-Unis, d'abord par le président Clinton, ensuite par le président Bush, qui sont convaincus que l'ouverture du marché chinois va stimuler la croissance et que les importations chinoises à bas prix vont améliorer le pouvoir d'achat des consommateurs américains.

Ils espèrent que la libéralisation politique du régime chinois, une décennie après la répression de Tiananmen, suivra son ouverture commerciale.

Les Européens accompagnent avec optimisme la manœuvre. Les Allemands se préparent à vendre leurs voitures à la Chine, les Français leurs avions, les Italiens leur électronique. Tant pis pour le textile, l'acier et les biens de consommation qui seront sévèrement concurrencés, et pour les travailleurs de ces secteurs qui paieront de leur emploi les gains en pouvoir d'achat de tous les consommateurs.

À cette époque, les Chinois sont des imitateurs à moindre coût : dans l'esprit des dirigeants occidentaux, ils occuperont le créneau des produits bas de gamme tandis que les Occidentaux se concentreront sur la haute valeur ajoutée. C'était ne pas comprendre que la Chine ne souhaitait pas seulement reprendre sa place dans le monde. Elle voulait prendre sa revanche sur l'humiliation passée, quand elle n'était qu'une proie pour les appétits coloniaux, et accéder au rang de première puissance mondiale.

Vingt ans après son adhésion à l'OMC, la Chine a multiplié par dix sa richesse par habitant. Elle est devenue le premier exportateur de biens de la planète (16 % de parts de marché contre 15 % pour l'Europe et 10 % pour les États-Unis). Elle pèse, en termes de PIB, plus que la zone euro et devrait dépasser les États-Unis avant 2030. Elle ne se contente plus de produire plus vite et à moindre coût. Elle maîtrise nos innovations pour investir dans l'intelligence artificielle, la robotique, l'informatique, et prendre ainsi de l'avance sur ses concurrents, c'est-à-dire sur nous. Près de 130 entreprises chinoises figurent dans les 500 plus grandes multinationales au monde contre 120 pour les américaines. L'arrivée de Xi Jinping au pouvoir donne un sens politique à cette réussite économique. Renouant avec l'idéologie communiste, il a rendu à l'État une partie du contrôle de l'économie. Le secteur public a doublé de dimension (de 15 à 30 % de la production) et le lancement des « nouvelles routes de la soie » permet à Pékin de sortir des règles de l'OMC pour multiplier les accords bilatéraux. La Chine ne veut pas être seulement une économie ultra compétitive, soucieuse d'assurer le bien-être de sa population, elle n'aspire pas simplement à être une grande nation technologique. Elle vise à impressionner son voisinage et à contrôler les océans. En mer de Chine méridionale, elle occupe des îlots revendiqués par le Vietnam et les Philippines, avec l'ambition de faire du Pacifique Sud une zone d'influence dont les États-Unis seraient écartés. Sous couvert de coopération, en fait pour étendre son emprise, elle signe de nombreux accords sécuritaires et économiques avec des états insulaires (Timor oriental, îles Salomon, Fidji, Vanuatu…). Officiellement, Taïwan n'est pas concernée, mais en réalité, l'île sera bientôt cernée.

Xi veut doter son pays de la première armée du monde, terrestre ou navale : il a besoin de ports amis et de points d'appui. L'Australie et la Nouvelle-Zélande sont directement ou indirectement visées par cette volonté de maîtriser les mers. La France l'est tout autant à travers la Nouvelle-Calédonie. C'est cette conjugaison de la force économique appuyée sur la haute technologie avec une présence politique et militaire assumée qui définit « la puissance nationale globale » de la Chine : être numéro un dans tous les domaines et n'avoir d'autre rival que les États-Unis. Ce qui suppose de réduire l'influence du Japon et de l'Inde en Asie et de maintenir « l'amitié éternelle » avec la Russie.

L'Amérique a compris depuis peu l'enjeu. Jusque-là, avec Obama et Trump, l'essentiel était de remettre en cause les gains de Pékin en matière de commerce, de diminuer les importations venant de Chine et de la contraindre à une ouverture de son marché intérieur. Ces objectifs demeurent mais à un niveau secondaire. La vraie bataille porte désormais sur le leadership scientifique, sur le champ militaire et sur la course aux armements nucléaires. Ainsi les années qui viennent seront dominées par la compétition entre deux superpuissances mondiales, la Chine et les États-Unis, avec chacune son supplétif, la Russie pour l'une, l'Europe pour l'autre.

La Chine s'arrêtera-t-elle là ? Elle est patiente. Elle garde le souvenir de l'humiliation qui lui a été infligée par les Occidentaux à la fin du XIXe siècle. Elle mise sur notre déclin, sur les failles des démocraties, sur le goût insatiable des multinationales pour le profit, sur l'illusion d'une croissance infinie du commerce mondial. Là aussi, tout dépend de nous. La France et l'Europe doivent cultiver leur différence et faire valoir leurs intérêts tout en accentuant leur convergence sur les objectifs climatiques. Mais leur marge de jeu se réduit à mesure que la Chine monte en gamme et en capacité. La neutralité n'aurait aucun sens, pas plus qu'une équidistance entre ces deux grandes puissances. Nous sommes désormais partie prenante du rapport de force qui se construit inéluctablement face à la grande alliance russo-chinoise.

Depuis 2012, Poutine et Xi se sont rencontrés trente-huit fois ! Ils ont éteint tous les conflits qui subsistaient entre leurs deux pays. Ce ne sont plus des voisins qui vident des contentieux, ni des partenaires qui poursuivraient des intérêts communs : ils se veulent, ils se disent, ils s'affirment « amis » d'une amitié « infinie ». En 2016, le président chinois se félicitait que chacun de leurs deux pays donne sa priorité à l'autre dans ses affaires extérieures. Ce pacte des empires ne s'est jamais fissuré dans les affaires de la planète depuis dix ans, ni sur la Syrie ni sur l'Iran, pas davantage sur l'Ukraine. Il a pris des formes économiques, commerciales et énergétiques. La Russie est le deuxième fournisseur de pétrole de la Chine. La Chine représente pour la Russie son deuxième marché d'exportation. Cette convergence est aussi militaire : la Russie est le principal pourvoyeur d'armement de la Chine. Les exercices combinés se sont multipliés, aussi bien des patrouilles aériennes que des manœuvres navales. Les sanctions prises contre la Russie depuis le conflit en Ukraine ont amplifié ces liens de dépendance. La Chine offre à la Russie un débouché de substitution après les annulations de contrats qui liaient celle-ci à l'Ouest.

Comme pour prouver au monde la solidité infaillible de cet axe, Poutine a effectué un voyage à Pékin à l'occasion des Jeux olympiques, un mois avant l'invasion de l'Ukraine. À cette occasion, les deux chefs d'État ont exprimé leur « amitié sans limites ». Si nous n'avions pas compris, le ministre des Affaires étrangères chinois a ajouté : « Ce n'est pas une alliance, mais c'est encore mieux que d'être alliés. » Pour couronner le tout, la déclaration commune signée de ce moment avoue tout de go que les deux puissances ont annoncé l'entrée des relations internationales dans une ère nouvelle. Certes, dans ce rapport exclusif il y a une certaine asymétrie. Nous sommes loin du temps où l'URSS était la force dominante sur le plan politique et idéologique, et où la Chine cherchait encore son modèle. Aujourd'hui, la Russie représente 10 % du PIB de la Chine et Moscou n'est que le onzième partenaire de Pékin. Si la guerre se prolonge en Ukraine, Poutine pourrait devenir le vassal de son ami le plus cher. Mais tout ne se mesure pas à l'aune des indices économiques : la Chine dépend de la Russie sur le plan militaire, sa force de dissuasion est loin d'être au niveau de sa voisine, et ses moyens d'influence et de renseignement plus limités.

Au vrai, sur ce point, tout dépendra de l'issue du conflit en Ukraine. Si Poutine en sort victorieux, la Chine respectera le nouveau maître. S'il essuie un échec, alors il sera affaibli économiquement, vaincu militairement mais aussi disqualifié politiquement. La Chine observe comment les États-Unis et les Occidentaux mènent leur politique de sanction. La Russie a trouvé des expédients pour en pallier les effets, elle a défendu la valeur du rouble et contourné les embargos en s'ouvrant vers l'est et les pays du Golfe. Mais si la même politique s'appliquait un jour à la Chine, elle lui ferait courir un risque mortel. Les restrictions occidentales priveraient son économie de ses marchés extérieurs, brideraient sa croissance, susciteraient la colère de sa population qui découvrirait le chômage de masse. C'est à travers ce prisme qu'il faut regarder l'hypothèse d'une invasion chinoise de Taïwan. Pékin l'envisage à coup sûr, mais les dirigeants chinois en connaissent aussi les incertitudes. Les conditions militaires d'une telle attaque sont loin d'être réunies. Pour cette raison, la Chine préférera attendre, exercer sa pression, multiplier les incidents sur les îles voisines des deux pays. Elle ouvrira des crises – on l'a vu cet été avec le déploiement de sa flotte dans le détroit de Formose –, car elle n'est pas prête à aller plus loin. D'ici là, elle cultive sa complicité avec la Russie. Complicité qui lui sera essentielle, quelles que soient les circonstances !

La grande menace

Dans *Le Dictionnaire des idées reçues,* Flaubert note, à l'article « Année charnière » : « la nôtre ». Pourtant, cette fois, le cliché est juste. L'année 2012 en fut, précisément, en dépit du sarcasme flaubertien, l'une des plus décisives. C'est à partir de là que les deux grands régimes autoritaires de la planète, en nouant une alliance, déclenchent la contre-attaque, chacun à sa manière. Ils sont évidemment différents, disparates, et parfois rivaux. Mais ils partagent les mêmes détestations : celle de l'Occident, qu'ils veulent affaiblir et refouler, celle de la démocratie qui mène, selon eux, à la décadence et à la désagrégation des nations. Ils érigent l'identité, russe ou chinoise, en principe agressif et absolu. Ils adoptent les mêmes méthodes : la crainte à l'intérieur, la domination à l'extérieur, douce ou cruelle selon les circonstances. Xi Jinping et Vladimir Poutine estiment que le temps travaille pour eux. Leur pouvoir est sans limites, dans la durée comme dans les formes. Rien ni personne ne vient les contredire, ils flattent l'un et l'autre le nationalisme et expriment une prétention qui trouve, pour une part, sa légitimité dans la frustration et l'humiliation. Un pacte a été scellé entre ces deux dirigeants. Il ne figure dans aucun traité mais il se manifeste sur tous les sujets et sur tous les continents. Il se traduit par des votes identiques au Conseil de sécurité. Et si la Chine et la Russie agissent avec leurs moyens propres et leur calendrier respectif, jamais ils ne se retrouveront en opposition, en contradiction ou même en divergence. Et si les différences de vue existent, elles ne sont pas exprimées. Ils ont tous deux la même volonté : faire pièce aux États-Unis, impressionner l'Europe, peser au Moyen-Orient, influencer l'Afrique et contrôler les détroits et les mers.

Cette grande alliance est aussi robuste que durable. Elle a su résister aux crises, même celle du coronavirus qui aurait pu faire vaciller la Chine ou celle de la guerre en Ukraine qui aurait pu isoler la Russie. Elle est fondée sur un contrat implicite qui n'est plus seulement le rééquilibrage du monde mais l'inversion des hiérarchies. Le nouveau bouleversement de la planète commence ici : par le défi lancé à nos valeurs de liberté, d'État de droit et de démocratie par les nouveaux empires. Ce défi va dominer la décennie qui s'ouvre en 2012, jusqu'à aujourd'hui.

2013

Le gendarme en retrait

Ce 30 août 2013, vers 17 heures, j'ai réuni dans mon bureau Laurent Fabius, ministre des Affaires étrangères, Jean-Yves Le Drian, ministre de la Défense, Benoît Puga, chef d'état-major particulier, et Paul Jean-Ortiz, conseiller diplomatique. Nous sommes assis autour d'un téléphone filaire dont j'ai activé le haut-parleur. Le président Obama a fait savoir qu'il voulait me joindre d'urgence. Nous sommes à la veille d'une opération militaire dont nous avons fixé la date et l'ampleur et que nos collaborateurs ont préparée avec soin. Il s'agit de punir Bachar el-Assad, qui n'a pas hésité à utiliser l'arme chimique lors d'un bombardement sur un quartier de Damas, infligeant de terribles souffrances à des femmes et des enfants. Tout est prêt : reste à déclencher l'intervention. Les cibles ont été choisies pour détruire des installations militaires et des bâtiments officiels tout en épargnant la population civile. Nos chefs d'état-major ont mené un travail remarquable de précision pour coordonner les frappes et leur donner la plus grande efficacité.

L'Amérique recule

Au ton qu'il emploie au début de la conversation, je sens Barack Obama embarrassé. Ses premiers mots m'assurent de sa détermination : « Je suis toujours décidé à mener l'action en Syrie car il est impérieux de châtier le crime de Bachar el-Assad. » Mais il ajoute qu'il a besoin de l'accord du Congrès, d'autant que l'échec de David Cameron à convaincre la Chambre des Communes du bien-fondé de l'opération a créé un précédent. Il ajoute qu'il souhaite être exemplaire dans le respect des formes, dès lors que nous ne disposons d'aucun mandat des Nations unies. J'échange des regards avec les ministres et mes collaborateurs. De par des indiscrétions venues de l'intérieur de la Maison-Blanche, certains d'entre eux pressentaient la volte-face. D'autres ne voulaient pas y croire, tant les préparatifs de l'entreprise avaient soudé nos équipes.

Je lui réponds que je comprends cette précaution mais que la procédure parlementaire exigera des jours, peut-être des semaines avant de connaître une conclusion favorable. Entre-temps, toutes sortes de pressions auront été exercées pour nous dissuader de frapper, et d'abord au G20, qui doit se réunir à Saint-Pétersbourg dans cinq jours sous la présidence de Vladimir Poutine. Nul doute que ce dernier va user de tout son art de la ruse et du mensonge pour annihiler toute réaction à la hauteur de la monstruosité de l'attaque. Ne prétend-il pas déjà, contre l'évidence, que ce sont les opposants de Bachar qui ont utilisé les armes chimiques pour provoquer l'indignation ? Malgré les assurances d'Obama, qui s'efforce de me convaincre que rien n'a changé et qu'il ne s'agit que d'un simple contretemps, au fond de moi-même je sais que l'opération prévue n'aura jamais lieu.

Ce recul n'est pas un simple report. Pour la première fois depuis longtemps, les États-Unis vont renoncer à une intervention qu'ils avaient eux-mêmes annoncée de la manière la plus nette. Un an plus tôt, en août 2012, Barack Obama avait lancé un avertissement solennel. Pour lui, l'emploi d'armes chimiques dans la guerre civile syrienne constituait une « ligne rouge » dont le franchissement, avait-il indiqué, aurait d'« énormes conséquences ». Or, un an plus tard, nous avons la certitude que les forces de Bachar ont largué sur les insurgés plusieurs obus chimiques, une arme prohibée par toutes les conventions internationales depuis les années 1930. La fameuse « ligne rouge » tracée par Obama lui-même était donc ouvertement franchie. La réponse devait être cinglante.

À la conférence des ambassadeurs réunis à l'Élysée le 27 août 2013, j'avais déclaré que notre pays était prêt à répliquer à cette violation manifeste du droit international. Depuis le début des événements en Syrie, en 2011, la France réclamait le départ du dictateur de Damas, seule solution à nos yeux pour mettre fin à la guerre civile. Nous étions néanmoins prêts à admettre une période de transition, à condition d'inclure les oppositions dans un gouvernement d'union nationale. Malgré quelques progrès dans la négociation qui se tenait à Genève, la guerre civile se poursuivait et le régime de Bachar était sur la défensive. Il était acculé et isolé. Pour sortir de cette nasse, il était prêt à tout, y compris à recourir à des armes de destruction massive.

L'irréparable étant commis, nous étions décidés à répondre fortement. En visant des objectifs militaires en Syrie, la France était dans sa logique et en accord avec la position américaine, que le Royaume-Uni prétendait partager jusqu'à son propre renoncement. Et voilà qu'Obama se dérobait à la veille de notre riposte, pour la subordonner à un consensus bipartisan au Congrès. Cette défection empêchait évidemment la France d'agir. Comment aurait-elle pu prendre seule la responsabilité d'une opération militaire, hors de toute résolution du Conseil de sécurité des Nations unies et sans l'aval de ses alliés ? C'est ainsi que l'acte ignoble de Bachar el-Assad est resté impuni et que le monde a compris qu'il n'y avait désormais plus de lignes rouges où que ce soit.

La Maison-Blanche avait ses raisons. Les frappes prévues n'auraient pas reçu l'assentiment de l'ONU ; à Londres, David Cameron, Premier ministre britannique, avait soumis au Parlement de Westminster la même proposition. Elle avait été rejetée. Le souvenir de la funeste participation à la guerre en Irak était encore dans toutes les têtes. Barack Obama, alors sénateur, ne s'était-il pas fait connaître aux yeux de la communauté internationale pour avoir condamné dès le départ cette guerre, et surtout le mensonge qui l'avait justifiée ? S'ajoutait un autre argument tenant aux circonstances : Bachar était l'allié de l'Iran, avec qui les États-Unis voulaient conclure un accord pour éviter de voir le régime des mollahs se doter de l'arme nucléaire. Pourquoi compromettre cette avancée majeure au moment où elle était proche d'aboutir ? C'étaient là des justifications compréhensibles. Mais le symbole politique était désastreux. Les États-Unis répugnaient à utiliser la force devant une violation manifeste de règles internationales. En 2003, ils avaient renversé Saddam Hussein en invoquant la menace d'armes de « destruction massive » qui n'existaient pas. En 2013, ils s'abstenaient face à Bachar qui venait d'employer le même type d'armes au vu et au su de tous. Ce n'était pas un revirement circonstanciel, c'était un tournant stratégique.

Les effets s'en firent sentir aussitôt. En Syrie, d'abord, Bachar était miraculeusement conforté ; l'opposition à son régime se trouvait symétriquement désavouée et, en son sein, les plus radicaux, les mouvements islamistes, en sortaient renforcés. Pour Vladimir Poutine cette palinodie était interprétée comme une superbe occasion. Il pouvait ouvertement prêter son concours militaire au dictateur sans risquer une quelconque opposition d'envergure. Au fil des combats, recevant l'appui aérien décisif de la Russie, et après que des villes entières comme Alep furent détruites sans égard pour la population civile, Bachar el-Assad allait rester en place et finir par l'emporter cinq ans plus tard.

Au plus près d'Obama

Bien sûr, ce tournant tenait aussi à la personnalité charismatique de Barack Obama, bien plus ambiguë qu'on le pense souvent. Dans les rapports personnels qu'il entretenait avec les autres chefs d'État, il n'était guère familier. Il était capable d'empathie, certes, mais affectait dans les rencontres une retenue un peu froide, privilégiant les longs développements qui mettaient en valeur son indéniable compétence et son professionnalisme abouti. Il réfléchissait beaucoup avant de se prononcer, il voulait tout connaître d'une situation pour mieux l'analyser. Il répugnait aux décisions précipitées, ce qui témoignait d'une sagesse salutaire mais aussi d'une hésitation habilement présentée comme une subtilité.

Obama est en effet un intellectuel brillant. Il livrait peu ses sentiments et tendait sans cesse à montrer sa supériorité, la sienne et celle des États-Unis, exprimant une bienveillante compassion et une irritation à peine retenue à l'égard des Européens qui avaient tant de mal à se mettre d'accord. En 2012, pendant la crise financière, il était prodigue de conseils consentis avec une certaine hauteur, ne comprenant pas pourquoi la zone euro hésitait à recourir à une politique budgétaire et monétaire propre à prévenir la récession. Il nous faisait aimablement la leçon, négligeant sans doute le fait que la domination du dollar dans les échanges internationaux lui donnait un avantage dont nos nations, malgré l'euro, étaient privées. Souvent mes collègues percevaient une arrogance feutrée dans ces admonestations amicales et se retrouvaient, sans plaisir ni soutien, sous la pression américaine. Mais ils s'y résignaient, davantage qu'ils y adhéraient.

Barack Obama était ferme sur ses principes mais sans excès : il n'était pas exempt de réalisme politique et poursuivait ses buts de long terme en usant aussi du calcul et du sens de la manœuvre. Il représentait les aspirations d'une société américaine lasse des interventions extérieures et soucieuse de retrouver la croissance et la prospérité. Ses enjeux étaient principalement intérieurs. Il tenait avant tout à faire passer la loi sur la protection des patients et les soins abordables (l'Obamacare). Il savait que le succès de cette réforme laisserait une trace qu'aucune initiative internationale ne pourrait égaler.

Obama n'oubliait jamais la couleur de sa peau et gardait une conscience aiguë de la condition noire aux États-Unis. Mais grâce à son brio et à son travail, il était parvenu au sommet. Il se considérait avant tout non comme le porte-parole d'une minorité, mais comme un modèle d'ascension méritocratique illustrant la justesse des valeurs américaines, dont l'exemple parlait à la grande majorité de ses compatriotes.

Il avait lancé sa carrière nationale en s'opposant à la guerre d'Irak. Il avait courageusement mis en doute l'existence des armes de « destruction massive » dont se prévalait l'administration Bush pour justifier sa politique belliqueuse. Sa victoire de 2008 reposait en partie sur cette position initiale, qui a marqué toute sa politique. Il s'en est tenu à ce principe fondateur et se méfiait de tout ce qui pouvait entraîner les États-Unis dans des interventions extérieures aventureuses. Il est né à Hawaï et, peut-être pour cette raison, considérait que les défis rencontrés par les États-Unis étaient désormais concentrés dans la zone du Pacifique. Ce qui renforçait son désir de retrait ou d'abstention dans les autres régions du monde. Il a ainsi présidé au basculement stratégique des États-Unis, ensuite renforcé, dans un style tout différent, par Donald Trump.

La réorientation américaine ne tenait pas seulement aux options personnelles de Barack Obama. Elle venait de plus loin. Sous les Bush père et fils, les États-Unis n'avaient pas hésité à déclencher trois guerres, l'une pour chasser Saddam Hussein du Koweït, les deux autres en réplique aux attentats du 11-Septembre, en Afghanistan pour abattre le régime des talibans, accusés de protéger Ben Laden, et en Irak pour destituer Saddam (ce qui aboutira à son exécution). Certes, ces interventions avaient atteint leur objectif initial, mais elles avaient dégénéré en conflits interminables et avaient favorisé la montée du terrorisme islamiste. L'image des États-Unis en avait été flétrie et les alliés, même les plus fidèles, s'étaient éloignés. Ce bilan plus que contrasté avait clos le temps de l'« hyperpuissance » américaine et porté un coup d'arrêt au courant néoconservateur qui théorisait la possibilité d'imposer par les armes la démocratie au Moyen-Orient, vaine chimère.

Nous aurions dû comprendre que la victoire d'Obama en 2008 ouvrait une nouvelle ère. La montée en puissance de la Chine, qui n'entendait plus simplement être « l'usine du monde », et les menées agressives du régime nord-coréen incitaient les États-Unis à se tourner davantage vers le Pacifique. La menace russe paraissait lointaine et l'interminable imbroglio des désordres du Proche-Orient avait fini de décourager les tentatives de règlement du conflit israélo-palestinien, menées depuis des décennies par les Administrations successives. Comme le traumatisme du 11-Septembre s'éloignait, la société américaine soutenait moins ardemment les expéditions militaires décidées en représailles, dont les résultats semblaient, au total, décevants et le coût financier exorbitant. Comment interpréter autrement la décision d'Obama, qui ne voulait à aucun prix être entraîné dans un nouveau bourbier au Moyen-Orient ? D'autant que l'intervention en Libye en 2011 à l'initiative de la France et du Royaume-Uni, conçue initialement comme une simple mesure de sauvetage de la population civile en danger, avait dégénéré jusqu'à engendrer le renversement du régime de Kadhafi, débouchant là aussi sur une guerre civile où les groupes islamistes jouaient un rôle croissant. Les mêmes causes ne produiraient-elles pas les mêmes effets en Syrie ?

De la même façon, j'avais admis que le président américain souhaitait déléguer aux Européens la gestion des crises qui affectaient la sécurité de leur continent. N'était-ce pas à eux aussi de prendre leurs responsabilités au Moyen-Orient ? Enfin, les inquiétudes récurrentes sur l'approvisionnement en pétrole et en gaz, qui avaient longtemps conduit Washington à surveiller au plus près la situation dans le Golfe, s'étaient peu à peu évanouies depuis que l'exploitation des gisements de gaz de schiste avait rendu les États-Unis autosuffisants en énergies fossiles. Tout concourait, en fait, à un retrait américain : une fatigue militaire, un épuisement budgétaire et un revirement planétaire.

La logique désastreuse de Trump

L'arrivée au pouvoir de Donald Trump, en novembre 2016, allait accélérer ce désengagement. Lors de mon premier échange téléphonique avec lui, il se plaignit amèrement des dépenses que le maintien des forces américaines stationnées en Europe imposait aux comptes de son pays. Il déclara bientôt l'OTAN dépassée et exigea que les Européens assurent eux-mêmes leur propre défense. Entretenant des liens ambigus avec Vladimir Poutine, il se consacrait surtout au bras de fer qu'il avait engagé avec les Nord-Coréens et à la diffusion de ses « vérités alternatives » sur Twitter. Il refusait toute négociation multilatérale sur le climat, rompait l'accord avec l'Iran sur le nucléaire et se mettait à la remorque du gouvernement Netanyahou dans les affaires du Moyen-Orient, abandonnant toute idée de règlement de la question palestinienne. Cette gestion erratique, consacrée à quelques marottes obsessionnelles, menée sous le mot d'ordre « America First », consacrait en fait le retour des États-Unis à la gestion de leurs affaires intérieures, conjuguant le protectionnisme économique avec la lutte contre l'immigration pour aboutir à un nouvel isolationnisme.

Donald Trump a surpris le monde entier, souvent en mal, rarement en bien. Mais sa politique était moins irrationnelle qu'il a été dit. En novembre 2016, beaucoup voyaient en lui un populiste fantasque, exubérant et vulgaire. De ce point de vue, on n'a pas été déçu. Ses mensonges innombrables, ses déclarations baroques, ses décisions parfois surréalistes, les insultes dont il a abreuvé ses adversaires ont été à la hauteur de sa réputation. Mais il était plus qu'un Ubu roi à la sauce yankee. Ses positions internationales se sont inscrites dans l'une des traditions américaines, celle de la *Realpolitik* de puissance qui n'excluait pas la complaisance envers certains dictateurs. Il se débarrassa de toute tentation de mettre en avant les droits humains dans ses choix diplomatiques, aussi bien avec les monarchies du Golfe qui n'en demandaient pas tant qu'à l'égard des dirigeants d'Amérique centrale et latine. Il s'est largement désintéressé de l'Afrique et a affaibli sciemment toutes les institutions multilatérales.

Trump a désigné Pékin comme son principal adversaire et a cherché à limiter les importations chinoises, qu'il jugeait dangereuses pour l'industrie américaine, ce qui n'est pas faux. Il a établi avec Vladimir Poutine des rapports fondés sur la défense des intérêts de chacune des parties. Il a accéléré le désengagement américain en Europe pour se concentrer sur les menaces venues d'Asie. Poutine en a tiré parti pour intensifier sa pression sur les pays voisins de la Russie et pour contrer l'influence de l'Union européenne.

Cette réorganisation stratégique n'empêchait pas les contradictions, par exemple en Syrie. À la différence d'Obama, Trump a décidé de lancer des frappes aériennes contre le régime Assad quand celui-ci a de nouveau fait usage d'armes chimiques. Il a épousé étroitement la politique israélienne, en grande partie pour des raisons de politique intérieure : les églises évangéliques qui le soutiennent sont aussi les alliées très fidèles de la droite israélienne. Il a conforté le gouvernement Netanyahou dans les revendications les plus extrêmes, mais il a aussi œuvré utilement pour rapprocher Israël des pays arabes, notamment ceux du Golfe ; une politique que Biden a reprise à son compte en visitant l'Arabie saoudite pendant l'été 2022 et en restant silencieux sur ce qui jusque-là l'avait horrifié. Trump a surtout théorisé et mis en pratique le retrait américain, notamment en Afghanistan. Il a négocié, sans véritables contreparties, le départ des troupes américaines avec les talibans, que son successeur a ensuite mis en œuvre dans les conditions désastreuses que l'on connaît.

Biden l'héritier

Si l'élection de Joe Biden en novembre 2020 a marqué une heureuse inflexion avec la réaffirmation de l'engagement américain aux côtés des démocraties, elle n'a pas constitué pour autant une franche rupture. Joe Biden est un homme avisé, obstiné et doté d'une grande expérience. Il incarne l'essence de ce que le système américain peut produire de mieux. En termes de formation et de parcours, il est regardé comme un membre de l'establishment, courtois, raffiné, d'une extrême politesse et d'une grande élégance. Il a été huit ans vice-président de Barack Obama, à un âge déjà avancé, au point qu'il se demandait s'il serait de nouveau candidat un jour. Il a pourtant décidé de se lancer. Il a mené une campagne efficace et parfaitement maîtrisée pour reconstituer l'alliance traditionnelle entre progressistes et minorités qui a fait le succès du Parti démocrate. Il est à l'opposé de Trump en politique intérieure, qu'il s'agisse de sa conception des institutions, de la politique sociale ou bien des droits nouveaux accordés aux citoyens américains. Il se bat courageusement contre le lobby des armes et tente, comme il peut, de résister à la vague réactionnaire que la Cour suprême, par ses décisions, contribue à porter. Deuxième président catholique (après John F. Kennedy), il connaît bien l'Europe et, pour l'avoir rencontré plusieurs fois alors qu'il était auprès d'Obama, je peux affirmer qu'il est de ceux qui l'incitaient à être plus ferme en Syrie.

Pourtant je décèle dans sa politique étrangère plus de signes de continuité que d'éléments de rupture avec ses prédécesseurs. Il a adopté à son tour la stratégie de repli mise en œuvre par Donald Trump, par exemple en retirant les troupes américaines d'Afghanistan. Il est resté inactif pendant le conflit entre l'Arménie et l'Azerbaïdjan, laissant Poutine et Erdogan résoudre la crise selon leurs propres vues. Il n'a pris aucune initiative en Syrie et plus largement à l'égard du monde arabe. Il n'a pas fait avancer le dossier du nucléaire iranien même s'il a fait reprendre les pourparlers. Il s'est calé sur les positions israéliennes sur la question palestinienne et sur la normalisation avec les pays du Golfe. Il a laissé la Chine poursuivre son implantation en Afrique. En Amérique latine, il est resté inerte face aux excès de Bolsonaro au Brésil ; bien timide pour lever les sanctions qui étouffent Cuba ; et relativement indifférent aux mafias qui gangrènent Haïti.

Sans la guerre en Ukraine, il aurait à coup sûr poursuivi dans cette voie. L'agression russe l'a obligé à repenser sa stratégie européenne : il soutient fermement le président Zelensky par des livraisons massives d'armes, même s'il songe forcément à ménager un jour un compromis avec Poutine après, espère-t-il, l'avoir affaibli durablement. Ce retour vers l'Europe ne l'a pas empêché de faire une mauvaise manière à la France en négociant secrètement avec le gouvernement australien la vente de sous-marins américains, alors que le gouvernement de Canberra s'était engagé auprès de moi en 2015, pour une commande historique. Son attachement à l'Europe, réaffirmé à la faveur de la crise ukrainienne, comporte aussi quelques arrière-pensées : l'arrêt des livraisons de gaz russe oblige les Européens à se tourner vers l'importation de gaz liquéfié produit aux États-Unis ; en outre il voit sans doute d'un bon œil les Européens consacrer plus de moyens budgétaires à leur défense, ce qui soulagera d'autant ses propres finances, ainsi les efforts américains dans le Pacifique pourront-ils se déployer sans obstacle majeur, poursuivant la politique engagée par Obama et développée par Trump. Certes le président démocrate suit avec attention les événements dramatiques qui endeuillent l'Ukraine et ne néglige aucun effort pour lui prodiguer armes performantes et moyens financiers. Mais il prend soin de ne pas entrer en belligérance en rappelant que, hors de l'OTAN, le salut ne peut pas venir d'une intervention militaire, surtout quand c'est pour faire pièce aux agissements d'une puissance nucléaire.

Joe Biden est lui aussi convaincu qu'il revient aux Européens de s'organiser pour coordonner et relever leurs efforts de défense. Il a obtenu, en quelques semaines, ce que ses prédécesseurs, en plusieurs décennies, n'avaient pas réussi à réaliser : la réhabilitation de l'OTAN, son élargissement à des pays jusque-là neutres et voisins de la Russie, comme la Finlande et la Suède, et la relance du « réarmement allemand ».

Mais, aussi effective soit sa solidarité à l'égard de l'Ukraine, et aussi sincère soit sa fidélité à l'endroit de ses alliés européens, c'est la Chine qui constitue sa première préoccupation et le Pacifique son espace de réengagement, notamment par rapport à Taïwan. En cela, il est le continuateur de l'ère Obama-Trump. Il tiendra bon sur l'Ukraine tant que nous-mêmes, Européens, resterons unis et solidaires pour accepter les sacrifices qu'un conflit long va nécessairement entraîner sur nos propres modes de vie et nos économies. De la robustesse de notre appui dépendra la longévité de la participation des États-Unis au soutien effectif de l'Ukraine.

Plus que nous ne l'imaginons, la Russie et la Chine redoutent les démocraties. Elles mesurent leur capacité à offrir aux peuples l'espoir de la liberté. Elles envient leur créativité et leurs réussites technologiques. Elles savent que les États-Unis sont aussi la première puissance militaire du globe : le budget de la défense américaine atteint 800 milliards de dollars, soit 40 % du total des dépenses militaires de la planète, quand la Chine n'en représente que 14 % et la Russie à peine plus de 3 %. Il en est de même dans la course aux armements nucléaires. Les États-Unis y consacrent 44 milliards de dollars, soit quatre fois plus que la Chine ou la Russie. Le déséquilibre reste massif, même si la Russie a indexé depuis dix ans son effort militaire sur ses revenus du pétrole et du gaz et si la Chine a augmenté son budget de 270 %. Ce n'est donc pas en termes quantitatifs que la menace s'est accrue. C'est en raison de l'acceptation d'un engagement militaire direct de la part de la Chine et de la Russie, dès lors que l'automaticité de la riposte américaine n'est plus assurée. Car les démocraties sont menacées. Non pas tant par d'éventuelles agressions extérieures que par des divisions intérieures de plus en plus béantes. Ainsi les élections de novembre prochain pour le renouvellement du Congrès des États-Unis, comme le rendez-vous présidentiel de 2024, peuvent changer la donne. Poutine et Xi Jinping le savent et l'espèrent. L'avenir se joue aussi à cette date et le peuple américain décidera pour le monde entier.

Même une grande nation comme l'Amérique doit faire des choix, établir des priorités et prononcer des arbitrages. Elle ne peut plus être présente sur tous les terrains et courir tous les risques. Elle s'est convaincue que le moment était venu de déléguer à d'autres certaines responsabilités, de délaisser certains enjeux, et parfois même de déguerpir de certaines régions.

En quelques années, les pièces de l'échiquier international ont donc bougé : alors que la grande alliance sino-russe est à l'œuvre et que de nouvelles ambitions se lèvent en Inde, en Turquie, en Iran, en Arabie saoudite, l'Amérique n'a pas l'intention de s'engager de nouveau loin de ses frontières. Le calamiteux repli d'Afghanistan ne l'incite en rien à revêtir de nouveau l'uniforme, bien usé à force d'être porté, de gendarme de la planète.

Les États-Unis restent la première armée du monde, mais c'est une force en retrait, qui respectera ses obligations internationales mais n'ira plus au-delà. Le règne de la puissance impériale s'achève. S'ouvre le temps de la puissance retenue. Ce revirement américain provoque des effets en chaîne. Bouleversé par la réaffirmation des nations et les appétits des empires, privé d'une régulation sérieuse, faute d'un leadership respecté et d'un multilatéralisme efficace, le monde est devenu plus incertain et plus imprévisible. Dans ce jeu complexe et dangereux, les Européens sont les premiers exposés.

2014

Les tentations impériales

En janvier 2017, je chemine avec le président Barzani sur les hautes collines du Kurdistan qui dominent la plaine d'Irak. Au loin, j'aperçois Mossoul à travers une brume légère que perce le soleil d'Orient. Depuis juin 2014, la deuxième plus grande ville d'Irak, peuplée de deux millions d'habitants, est aux mains de l'« État islamique en Syrie et en Irak ». Un pouvoir cruel y applique sa vision moyenâgeuse de la charia : répression féroce, décapitations, mutilations, esclavage sexuel des femmes et contrôle impitoyable de la culture, de l'éducation et de la vie quotidienne. Face à un régime irakien en décomposition, Mossoul a été conquise en quatre jours par des combattants de différentes obédiences dont la plus forte est l'État islamique mais qui, au total, ne comptent qu'à peine 7 000 hommes. Ils ont fait fuir une armée régulière de 40 000 soldats dont 20 000 avaient quitté les lieux avant même la bataille. La ville à peine conquise, les insurgés ont massacré les prisonniers chiites, dynamité les mosquées et détruit au marteau-piqueur les vestiges archéologiques prémusulmans. Le musée de la ville est vandalisé et la bibliothèque est brûlée.

L'hydre terroriste

En 2019, à l'occasion d'un voyage en Irak à l'invitation des autorités de ce pays, je visite Mossoul que j'avais aperçue de loin deux ans plus tôt. La ville a été libérée de Daesh par l'armée irakienne, après des bombardements de la coalition internationale, sous l'égide des États-Unis et dans laquelle la France prit sa part. L'opération a exigé plusieurs mois de combats acharnés et meurtriers. La vieille cité a été à moitié détruite, notamment la tour de la mosquée, là où Baghdadi, en 2014, avait proclamé le califat ; dans l'autre moitié la vie a repris son cours normal avec une rapidité surprenante, témoignant de la résilience d'une population civile habituée aux horreurs de la guerre...

La seule trace de l'occupation éphémère des islamistes, ce sont des immeubles détruits, des bâtiments ravagés, des statues renversées et des tombes creusées à la va-vite. J'eus une fois de plus la confirmation qu'une métropole pouvait être conquise en quelques jours par quelques hordes de djihadistes dès lors qu'ils sont déterminés à imposer leur fanatisme, une dictature au nom de Dieu, et équipés par les dépouilles d'une armée en déroute. La ville avait été soumise en moins d'une semaine. Il fallut plusieurs années pour la reprendre, prouvant ainsi la vulnérabilité de certains États, la complexité de la reconquête par leurs moyens propres et la nécessité d'un engagement international pour les aider à se libérer du fléau terroriste.

La chute du régime des talibans en décembre 2001 puis, dix ans plus tard, l'exécution de Ben Laden avaient laissé penser à certains optimistes éblouis par les « printemps arabes » que la menace islamiste était circonscrite et ses capacités d'action amoindries. Erreur funeste : décimée par la réaction occidentale, Al-Qaïda avait donné naissance à une autre organisation djihadiste, Daesh, dont la stratégie consistait à donner une existence tangible, géographique, au rêve de rétablissement d'un califat inspiré des principes supposément en vigueur à Médine aux temps du Prophète. Au plus fort de son déploiement, l'État islamique avait constitué aux confins de l'Irak et de la Syrie un régime à la fois rudimentaire et implacable, qui contrôlait un territoire aussi étendu que la Grande-Bretagne. Pour l'éradiquer, il a fallu une guerre de plus de quatre ans, qui a mobilisé non seulement l'armée irakienne et des milices, mais aussi des forces internationales, contre des groupes qui avaient appelé au djihad des contingents venus du monde entier.

En 2012, le front s'était déplacé en Afrique, la chute de Kadhafi avait en effet ouvert aux groupes islamistes une nouvelle ère de conquête dans les étendues désertiques du Sahel. Il avait fallu en janvier 2013 l'intervention de la France pour empêcher les colonnes de djihadistes de s'emparer de Bamako au Mali, d'où ils auraient lancé, forts de cette nouvelle base territoriale, une invasion de toute l'Afrique de l'Ouest.

Un moment arrêté au Mali, le terrorisme s'est néanmoins répandu dans tout le Sahel. Il frappe le Burkina Faso, le Niger, le Tchad, le Nigeria et, depuis quelques années, le Bénin et le Cameroun. Sous d'autres formes, il s'est implanté en Somalie, avec les Shebab, et se déverse sur le Mozambique. De l'autre côté de la mer Rouge, il s'est installé au Yémen. Ainsi le mythe millénaire du califat originel, qui anime les combattants islamistes dans le monde, fait-il ressembler cette armée disparate et rudimentaire du djihadisme à une hydre dont les têtes grimaçantes repoussent invariablement à chaque fois qu'on les coupe et dont les exactions meurtrières exercent sur nombre de pays une pression permanente.

Rappelons-le, autant de fois qu'il le faudra, ce sont les pays musulmans qui en paient le plus lourd tribut. C'est là que les ravages de cet islam extrême et dévoyé sont les plus sanglants. Les démocraties occidentales – la France, notamment – sont ensanglantées par des attentats intermittents mais les populations des terres de l'islam le sont de manière décuplée. La plupart des victimes du terrorisme se dénombrent en Algérie (pendant la guerre civile avec le GIA), en Égypte, en Tunisie, au Maroc, en Irak, en Syrie, en Libye, au Sahel, au Nigeria, au

Sri Lanka ou en Indonésie. Ces attaques incessantes ont profondément influé sur la vie politique de ces pays en appelant l'installation de régimes autoritaires ou en provoquant des coups d'État militaires (comme au Mali, au Burkina Faso, au Tchad, en Guinée), sans occulter des répressions aveugles qui alimentent, à leur tour, le terrorisme.

Les conséquences de ces agressions répétées sont également visibles dans les démocraties : les États-Unis ont mis en place des législations d'exception (Guantánamo, une zone de non-droit, en est une sinistre illustration), leurs forces armées et leurs services de renseignement ont été repensés et renforcés. Partout le danger islamiste a servi d'argument aux partis populistes et aux mouvements identitaires pour alimenter la méfiance ou l'hostilité à l'égard des musulmans. Partout la crainte d'une guerre de civilisation sert de prétexte au recul des libertés publiques, au rétablissement des contrôles aux frontières et à une propagande antimusulmane qui radicalise les uns sans rassurer les autres.

Si le mythe du califat n'aura tenu que quelques années, si les peuples arabes n'y ont jamais adhéré sauf sous la contrainte, la tentation impériale a saisi deux grands pays gouvernés par des régimes se réclamant de versions différentes de l'islam : l'Iran et la Turquie.

Le réveil perse

À Téhéran, après la prise de pouvoir par l'ayatollah Khomeyni en février 1979, dont le nouveau régime a survécu à grand-peine à l'invasion irakienne au début des années 1980, les dirigeants successifs, tout en gouvernant leur pays d'une main de fer selon les principes de l'islam chiite, ont cherché à étendre leur influence au-delà de leurs frontières. Ils ont réveillé les mânes de l'empire perse, soutenu des mouvements apparentés en Irak, en Syrie, au Bahreïn, au Liban, au Yémen, cherché à se doter de l'arme nucléaire, menacé Israël de destruction, provoqué sans cesse le « grand Satan » américain et voulu prendre la tête du monde musulman en défiant les régimes sunnites, notamment les monarchies du Golfe, à commencer par leur adversaire principal, l'Arabie saoudite. Le chiisme est l'habillage religieux d'une volonté politique de conquête car l'Iran entend s'imposer comme la première puissance régionale du Moyen-Orient. Il en a les moyens. Une histoire glorieuse, une population jeune et éduquée, une armée puissante, une technologie élaborée nourrissent cette ambition. Mais son régime, fait d'opacité et d'oppression, l'enferme et l'exclut. Ses dirigeants hésitent entre la normalisation, dont le renouvellement de l'accord nucléaire serait l'aboutissement, et la rupture, dont l'exportation de la révolution islamique est le signe le plus visible. Son hostilité déclarée à

Israël fait le jeu de l'État hébreu, qui saisit cette occasion pour se rapprocher encore davantage des pays arabes et pour maintenir son lien indéfectible avec les États-Unis. Son influence se répand dans les sociétés où les chiites forment une minorité active, notamment au Liban avec le Hezbollah et à Gaza avec son allié, le Jihad islamique, mais elle sécrète aussi ses propres anticorps. Entravée par les sanctions, son économie devient chaque jour plus dépendante de la Chine et de la Russie. Aussi sa prétention impériale se trouve contredite, sauf à espérer un embrasement de la région. Les Iraniens gardent le souvenir de ce que la guerre d'Irak, dans les années 1980, a causé comme traumatismes. Ils peuvent aussi imaginer ce que serait la réaction d'Israël en cas d'accès à l'arme nucléaire.

L'Iran est donc dans une impasse. Il brouille le jeu au Moyen-Orient sans jamais être capable de le mener. En une décennie, il a élargi son rayon d'action, y compris en Afrique, sans jamais remporté de victoire décisive. L'Iran déstabilise tout mais ne construit rien. Notre intérêt serait de le réintroduire dans la communauté internationale mais la Russie comme la Chine ont tout avantage à maintenir le statu quo pour obliger Téhéran à ne compter que sur leur appui.

La nostalgie ottomane

En face, il y a la Turquie, qui elle aussi retrouve des rêves de grandeur dans le souvenir glorieux de l'Empire ottoman. Recep Tayyip Erdogan, au pouvoir depuis près de vingt ans, a longtemps caressé plusieurs ambitions contradictoires au nom de l'islam politique.

Celui que l'on présente parfois comme le nouveau sultan est un homme qui fait de ses ambiguïtés un atout et de ses virevoltes une diplomatie. Il est tout en contraste, il sait se montrer accueillant, chaleureux, ouvert à ses visiteurs. Mais un peu comme son faux ennemi Vladimir Poutine, il devient cassant et parfois colérique quand ses intentions sont contrecarrées par un interlocuteur pugnace.

Depuis son arrivée au pouvoir, il a successivement montré deux visages. Il a d'abord voulu se faire admettre comme un leader moderne et ouvert, capable de concilier islam et démocratie. Il a poussé avec énergie la candidature de son pays à l'entrée dans l'Union européenne. Il s'est efforcé d'en remplir toutes les conditions pour convaincre les États membres de la maturité de la Turquie, associée à l'Europe depuis 1963 et liée par un accord d'union douanière depuis 1995. C'est à cette époque que je l'ai rencontré. Il tenait le langage d'un dirigeant fier de ses résultats économiques, à l'époque plutôt impressionnants, avec l'un des niveaux de vie les plus élevés du Moyen-Orient. Il tablait sur les « printemps arabes » pour asseoir son influence. Il y avait là un calcul qui avait du sens. Erdogan se rattache au courant des Frères musulmans, qui joue souvent une carte double pour mettre en œuvre une stratégie d'infiltration des sociétés par l'action sociale et culturelle, et assume la conquête légale du pouvoir pour réformer les législations nationales. La politique d'Erdogan se présentait donc comme respectueuse de la démocratie et vouée au rapprochement avec l'Europe.

L'année 2013 a marqué un tournant. J'ai perçu l'évolution de la position d'Erdogan à mesure que la guerre s'étendait en Syrie et que les islamistes de Daesh imposaient leur loi, provoquant un afflux massif de réfugiés en Turquie ; ils sont encore aujourd'hui plus de trois millions. Parallèlement, les fleurs du « printemps arabe » fanaient les unes après les autres. Ainsi le coup d'État de juillet 2013 en Égypte mené par le général al-Sissi chassait le président Morsi, élu un an plus tôt mais violemment contesté par la rue. C'était une pièce maîtresse dans le jeu du dirigeant turc qui s'écroulait. Elle fut suivie par l'effondrement du gouvernement libyen constitué après la chute de Kadhafi, puis par la prise de distance opérée par les pays arabes, et notamment ceux du Golfe, à l'égard des Frères musulmans et de la diplomatie active du Qatar, fidèle allié de la Turquie.

Fâché avec les émirats, en froid avec l'Arabie saoudite, opposé à la Russie sur la question syrienne,

Erdogan, loin de se rapprocher des Occidentaux, s'engage alors dans une stratégie fondée sur une agressivité tous azimuts, parée de la nostalgie otto-mane. Las d'attendre des progrès dans la négociation avec l'Union européenne il a délibérément ouvert ses frontières en 2015 pour laisser affluer des cen-taines de milliers de réfugiés syriens sur les îles et les côtes grecques. Il a exercé une forme de chantage à l'égard des Européens pour monnayer le retour d'un contrôle strict des mouvements migratoires. Angela Merkel n'y a pas résisté. Elle a même convaincu non sans mal les vingt-sept d'y céder à leur tour. Des crédits ont été consentis à la Turquie et les yeux ont été fermés sur les manquements aux droits humains qui s'y sont multipliés.

Erdogan s'est alors érigé en porte-parole du monde sunnite. Profondément choqué par la ten-tative de soulèvement militaire, le 14 juillet 2016, qui devait l'éliminer physiquement, il s'est lancé dans une vaste opération de répression contre la secte Gülen qui fut longtemps son alliée. Il a imputé aux États-Unis et aux Européens une connivence sup-posée avec ce groupe, sans fondement réel, mais qui lui a servi de prétexte pour s'éloigner encore davan-tage du camp occidental.

Il s'est largement tourné vers l'Afrique en mul-tipliant les accords de coopération économique et culturelle (notamment pour construire des écoles) et en livrant des armes aux pays exposés à des menaces intérieures ou extérieures, notamment le

Sénégal, la République démocratique du Congo et l'Éthiopie. Il est même allé jusqu'à proclamer que la Turquie était un État afro-eurasien.

Soucieux de reconstituer au moins virtuellement l'Empire ottoman, le président turc s'est invité dans de nombreux conflits latents ou déjà ouverts dans la Corne de l'Afrique, en Bosnie-Herzégovine, et plus récemment dans le Caucase. Aux côtés de l'Azerbaïdjan il a contribué à la prise d'une partie du Haut-Karabakh au détriment de l'Arménie, entretenant parallèlement une mémoire négationniste à propos du génocide de 1915. Erdogan s'érige maintenant en médiateur dans le conflit ukrainien, veillant à entretenir des relations complices avec Vladimir Poutine tout en livrant des drones aux Ukrainiens.

Cette même ambiguïté se retrouve dans la présence de la Turquie au sein de l'OTAN, alors qu'elle achète des équipements militaires à la Russie et conditionne l'adhésion à l'Alliance atlantique de la Finlande et de la Suède à des extraditions d'opposants. Erdogan anime une confrontation, jusque-là verbale et gesticulatoire, avec la Grèce et soutient par son armée l'occupation du nord de Chypre en entravant toute solution de rapprochement entre les deux communautés et en contestant les exploitations pétrolières que Chypre, pourtant membre de l'Europe à vingt-sept, entend réaliser dans sa zone maritime.

Erdogan n'a aucune gêne à soutenir des régimes hostiles à l'Occident et attaque régulièrement les positions des Kurdes de Syrie, lesquels ont pourtant participé en 2016 et 2017 à l'éradication de Daesh en appui de la coalition internationale. Il est même venu chercher, en juillet 2022, à Téhéran un *nihil obstat* de la part de l'Iran et de la Russie pour construire une opération militaire au nord de la Syrie et conquérir des territoires sous influence du PKK (le parti kurde).

Le Janus d'Arabie

La Turquie a également renoué avec l'Arabie saoudite, malgré de nombreux différends, notamment celui né de l'atroce assassinat du journaliste Jamal Khashoggi en octobre 2018 à Istanbul. Une fois encore, la religion apparaît comme un prétexte commode à la conduite d'une politique étrangère essentiellement fondée sur des intérêts nationaux et pour occulter, au nom de Dieu, des prétentions de domination régionale ou internationale. C'est le même calcul impérial qui anime l'Arabie saoudite, désormais dirigée par un prince imposant, impulsif et implacable.

Mohammed Ben Salmane est un homme fait de contrastes. Il est à la fois le dirigeant qui modernise son pays, ouvre à la jeunesse de nouveaux espaces de liberté et aux femmes une place plus enviable que d'être enfermées, et qui dévoile un tempérament autoritaire, brutal et souvent agressif à l'extérieur. Il a incontestablement changé le cours de la politique saoudienne. Je connaissais son emprise sur son père et je n'ai pas été surpris de le voir désigné comme héritier, en contradiction avec la tradition de son pays, qui réserve le trône à l'aîné des enfants et des neveux du souverain. Il se préparait depuis plusieurs années à cette succession. Très tôt associé au gouvernement, il s'est construit un réseau d'influence qui lui a permis d'asseoir son pouvoir. Je n'ai pas plus été surpris de voir écarter du ministère de l'Intérieur son cousin, le dauphin jusque-là désigné. Ben Salmane a ensuite ouvert son pays au tourisme, lancé des réformes économiques libérales et mené quelques prudents assouplissements en matière de mœurs. Il a aussi montré un visage plus sombre en prenant en otage les grandes familles du royaume pour les obliger à rendre l'argent qu'il jugeait capté de manière illégitime. Il a également été mêlé à la rétention en Arabie saoudite du Premier ministre libanais Saad Hariri, libéré sous la pression de la France. Il a engagé son pays dans la guerre du Yémen qui oppose les factions sunnites et houthistes, au cours de laquelle les populations civiles ont été durement éprouvées.

Sa politique étrangère vise principalement à contenir les ambitions iraniennes, quitte à se rapprocher d'Israël, et à contrer l'influence chiite dans le monde musulman. Mais il est capable de pragmatisme. Ainsi a-t-il soldé son contentieux avec la Turquie, reçu avec malice Joe Biden sans rien céder sur ses liens avec la Russie ni sur sa politique pétrolière, opéré une timide ouverture à l'égard de Téhéran en rétablissant des relations diplomatiques. Il est en effet conscient que, dans la donne qui se redistribue, l'Arabie saoudite, forte de sa population (de quarante millions d'habitants) et d'une armée suréquipée, va disposer d'une ressource pétrolière et gazière, hier promise au déclin, qui va lui permettre aujourd'hui d'approvisionner le monde à des prix élevés et qui va contraindre l'Amérique et les Européens à traiter avec plus de considération les monarchies du Golfe, dont Ben Salmane entend être la figure dominante, en concurrence complice avec Mohammed Ben Zayed, le dirigeant des Émirats arabes unis, lequel a accéléré le rapprochement avec Israël en lien avec l'Égypte. Ce furent les accords d'Abraham du 15 septembre 2020. La « grande Arabie » peut tirer avantage de la nouvelle configuration internationale en s'émancipant des États-Unis tout en s'assurant d'une protection israélienne en cas d'initiative belliqueuse de Téhéran.

La menace fantôme

Ainsi le mythe des empires russe, chinois, ottoman, perse ou arabe a repris vie au début de ce XXIᵉ siècle. L'identité ancienne retrouve une existence nouvelle, sur les cartes de géographie ou, à tout le moins, dans l'esprit enflammé de dirigeants qui usent et abusent de ces références historiques ou civilisationnelles. Ces fantômes du passé soudain réincarnés sont autant de menaces pour la paix. Ils obligent les démocraties à des révisions stratégiques douloureuses et à des efforts militaires coûteux. Ils dessinent un monde fragmenté et contradictoire. Les idéaux de coopération internationale, de règlement des conflits à l'amiable, de multilatéralisme, de prédominance du droit sur la force, sont mis à mal, ce qui place sur la défensive les États qui avaient cru la planète en voie d'harmonie dans une globalisation dont l'économie devait être la matrice.

Le XXᵉ siècle avait consacré, après deux guerres sanglantes, la fragile victoire de la paix. La voici lourdement contestée au sein d'une communauté internationale de plus en plus divisée, marquée par la juxtaposition de forces hostiles, par le rejet de toute solidarité globale et par le refus de toute régulation. L'ONU, réduite à l'impuissance, exerce un magistère verbal dont nul ne se préoccupe et encore moins ne craint les avertissements. Le monde n'est pas devenu multipolaire, il l'était déjà. Il est durablement éclaté, sans qu'aucun souffle vital ne vienne l'inspirer, sauf peut-être celui de l'urgence climatique. Il n'est plus constitué en blocs dont l'idéologie fournirait une commode clé de compréhension. Il est bouleversé par des intérêts nationaux de plus en plus exacerbés, plus ou moins inspirés par des passions religieuses. Les démocraties, dont certaines dans le passé ont été aussi des empires, apparaissent décontenancées par le chamboulement en cours. Face à cette résurgence de l'histoire, elles sont davantage tentées par le repli national ou continental que par l'affirmation d'une stratégie mondiale.

2015

La conscience de la catastrophe

S'il est une épreuve que le nationalisme le plus outrancier, le protectionnisme le plus accompli, l'impérialisme le plus assumé ne peuvent affronter efficacement, c'est bien le réchauffement climatique. L'année 2015 en administre la preuve la plus éclatante : elle a démontré l'utilité du multilatéralisme et l'existence d'une conscience commune des enjeux vitaux.

Par un singulier concours de circonstances, il a incombé à la France – parce que aucun pays n'avait voulu l'accueillir par peur de l'échec – de préparer la 21e conférence sur le climat (COP 21), qui s'est tenue en décembre 2015 à Paris. La précédente réunion sur ce sujet majeur avait piteusement échoué en 2009 à Copenhague, faute d'un consensus entre les pays industrialisés sur les engagements à prendre et en raison du rejet de toute mesure contraignante par les pays émergents. Les conférences suivantes n'avaient guère permis d'avancées significatives et les nations avaient renvoyé à un sommet mondial de la dernière chance la conclusion éventuelle, mais improbable, d'un accord général. La préparation de ce rendez-vous nous a conduits à mettre en œuvre une inédite diplomatie climatique.

Un tour du monde pour la planète

C'est à Pékin, dans une maison cachée au cœur de la Cité interdite, au cours d'une longue conversation avec le dirigeant chinois Xi Jinping, que je constate dès 2013 l'évolution des esprits dans un pays qui est devenu le deuxième émetteur mondial de CO_2. Jusque-là animée par un productivisme assumé qui en a fait l'usine du monde, la Chine ne veut pas réitérer les erreurs commises par l'Occident. Avec son milliard et demi d'habitants et une économie dont la croissance avoisine les 10 % par an, elle contribue plus que les autres au réchauffement. Mais comme me l'explique son président, elle se projette aussi dans le siècle, évalue les conséquences du désordre environnemental pour son pays-continent et redoute d'avoir à payer un jour le choix d'un modèle insoutenable, y compris en devant rendre des comptes à sa propre population, laquelle peut tolérer le manque de liberté à condition de ne pas se sentir asphyxiée.

Je devine là un levier possible et la Chine se révélera une alliée précieuse pour la conférence de Paris. Elle acceptera de fermer progressivement ses centrales au charbon, de réduire les activités des industries polluantes, d'accélérer son programme de renouvelables et de faire le choix de véhicules électriques.

Au cours de mes déplacements, je retrouve la même lucidité chez les autres dirigeants mondiaux, de l'Inde au Brésil, du Canada aux Philippines, de l'Allemagne au Japon. C'est dans les îles du Pacifique que j'ai la conversation la plus émouvante. « Pour nous, me dit un de leurs dirigeants, la lutte contre les émissions de CO2 n'est pas une question parmi d'autres. Elle décide de notre survie. Sans un effort mondial conséquent, nous serons submergés avant trente ans et disparaîtrons de la carte. » Au fil de mes voyages, je mesure l'urgence de la crise. En Afrique, c'est le désert qui s'étend, en Islande, ce sont les glaciers qui fondent, au Brésil, c'est la forêt amazonienne qui brûle, partout, c'est la biodiversité qui se transforme en peau de chagrin. Le temps d'agir est venu.

La coalition mondiale que nous bâtissons au terme de périples nombreux – laquelle s'ajoute à la participation massive des ONG de la planète – aboutit à une grande victoire : le 12 décembre 2015, je m'adresse à la Conférence pour saluer l'accord mondial qui vient d'être adopté sous la présidence de Laurent Fabius, à l'issue d'un marathon de négociations où certains acteurs cherchent un répit quand d'autres espèrent un changement radical. Il aura même fallu appeler le pape à la rescousse pour convaincre le Nicaragua, dernier récalcitrant parmi les États participants. Toujours est-il que la conférence est un indéniable succès : les nations présentes – quelque 195 pays – approuvent un document qui détaille leurs engagements pour limiter le réchauffement à moins de 2 degrés à l'horizon de la fin du siècle. Cet accord sert désormais de référence générale pour juger des mesures prises par les différents pays pour satisfaire cet objectif.

La COP de l'irréversible

Ces engagements, relèvent certaines ONG pour le déplorer, ne sont pas contraignants. Aucun mécanisme de sanction n'est prévu dans le document final et certains États ont déjà pris du retard pour traduire leurs promesses dans des actes tangibles. De même, le fonds de 100 milliards en faveur des pays les plus isolés est loin d'avoir été constitué. À Glasgow, en décembre 2021, la COP 26 a certes permis de relever l'ambition climatique. Mais la planète est toujours sur une trajectoire d'augmentation des températures de 2,3 degrés, loin de la cible fixée. Depuis la COP 21, remarquent encore les ONG, les moyens déployés de par le monde sont très insuffisants et, comme dans le film *Don't Look Up*, où les dirigeants mondiaux, adonnés à leurs jeux de pouvoir, refusent de protéger la planète contre un danger mortel, les chefs d'État continuent de sous-estimer la menace et remettent à plus tard les décisions nécessaires. Je partage le bien-fondé de ces critiques.

Prenons garde, toutefois, à ne pas oublier plusieurs éléments essentiels. La COP 21 ainsi que les réunions qui ont suivi ont contribué à éclairer l'opinion mondiale sur la gravité de la situation. Or, même dans les pays autoritaires, cette pression pèse sur les dirigeants, rendus sensibles au danger par la récurrence des catastrophes. Dans les démocraties, la question climatique est devenue l'un des sujets majeurs des campagnes électorales, la jeunesse en a fait sa priorité et demande des décisions radicales, elle a incité la plupart des pays à prévoir des plans de lutte contre le réchauffement. Je peux les juger limités, mais ils existent, comme les fonds recueillis pour hâter la transition énergétique et l'adaptabilité aux changements.

Je déplore la lenteur de ces avancées et la longueur des négociations internationales pour les mettre en œuvre. Mais un mécanisme de financement des pertes et des dommages est désormais sur la table. Les investissements verts contribuant à la décarbonation de l'économie sont devenus prioritaires dans les pays les plus riches. Le capitalisme lui-même voit dans cette obligation le moyen de réaliser des opérations jusque-là écartées faute de rentabilité. La finance quant à elle comprend qu'elle peut plus facilement lever de l'épargne si elle la place dans des produits écologiquement labellisés.

Je ne vois pas d'autre méthode possible pour conjurer un péril qui menace tous les pays que d'organiser, malgré toutes nos différences de situations, de richesses et de philosophies, une coopération qui généralise les technologies plus économes en gaz à effet de serre, favorise la transformation des modes de vie et met en place les mécanismes de redistribution qui aideront les pays les plus pauvres à sauter des étapes.

Le paradoxe veut que dans un monde éclaté où les antagonismes s'accentuent, l'unité s'impose pour empêcher la planète de courir à la catastrophe. La lutte sera commune ou bien elle sera perdue. Il ne s'agit ni de morale ni de philosophie, mais de bon sens : face à un danger qui menace l'humanité entière, seule la mobilisation de l'ensemble des acteurs, publics comme privés, peut éviter le pire. Le GIEC l'a annoncé : le réchauffement de la planète pourrait, si la neutralité carbone n'est pas atteinte en 2050 et si les énergies fossiles ne sont pas définitivement écartées, dépasser 3 degrés d'ici à la fin du siècle. Autrement dit, quelle que soit l'importance accordée aux intérêts nationaux et aux visées impériales, seules la solidarité et la sobriété peuvent sauver les nations, y compris les plus belliqueuses !

Les contradictions de l'Europe

L'Europe s'est fixé en 2020 des objectifs élevés : la neutralité carbone en 2050 et la réduction des émissions de gaz à effet de serre de 55 % à l'horizon 2030 par rapport à 1990. En juin 2022, le

Parlement européen a adopté une vingtaine de propositions législatives afin de permettre à l'Union européenne de respecter cette ligne de conduite. Ces textes conduiront à faire disparaître les véhicules thermiques à compter de 2035 puisque aucun constructeur ne devra plus mettre en circulation une voiture émettant du CO_2. Ils prévoient une profonde réforme du marché du carbone, qui obligera les industriels les plus polluants à payer davantage pour émettre du CO_2. Ils incluent le secteur maritime dans le dispositif en réduisant le nombre de quotas gratuits et créent un deuxième marché du carbone pour le transport routier et le chauffage des bâtiments. Les fournisseurs de carburant de gaz et de fioul devront acheter des droits à polluer, ce qui induira un surcoût inévitable pour les ménages, même si c'est d'abord pour les poids lourds et les immeubles de bureaux que le prix de la tonne de CO_2 sera rehaussé. Enfin une taxe carbone aux frontières sera instaurée afin de décourager, dans les secteurs les plus polluants – acier, ciment, engrais, électricité –, les importations de pays tiers aux normes moins strictes. Il s'agit d'appliquer à tous le même prix du CO_2, afin d'éviter une concurrence déloyale entre les producteurs européens qui investissent dans des technologies propres et les autres, moins regardants sur le respect de l'environnement. Ces dispositions auront également pour vertu de dissuader les délocalisations. Le secteur de l'aéronautique est au premier chef concerné puisqu'il va être progressivement intégré au marché du carbone pour les vols extracommunautaires. L'Union européenne a créé plusieurs fonds destinés à amortir le choc de ces transformations et faciliter les investissements des ménages, notamment pour l'isolation des logements. Tout repose désormais sur le respect de ces engagements. Les mécanismes sont en place, les objectifs sont fixés, les financements sont dégagés, le reste relève de la volonté des États.

Pour accompagner cette mutation, la Commission a dégagé des moyens significatifs à travers le « Green Deal » et a conditionné la répartition du plan de relance au respect des critères environnementaux ou à l'engagement d'investissements climatiques dont les effets doivent être démontrés.

Malheureusement, la guerre en Ukraine a changé la donne. La réduction des approvisionnements en gaz venant de Russie a conduit les États les plus dépendants à se fournir en GNL (gaz naturel liquéfié), dont une large part est produite à partir du gaz de schiste américain. D'autres recourent davantage au charbon, qui est la pire des énergies en termes d'émission de CO2. L'Allemagne, qui a abandonné trop vite le nucléaire, en revient à cet expédient malgré la présence d'écologistes dans son gouvernement de coalition. La France elle-même a maintenu en vie les dernières centrales au charbon dont elle avait promis la fermeture. Comme si, pour retrouver son indépendance, il fallait sacrifier son existence !

À moyen terme, en revanche, le risque de pénurie, conjugué à la hausse du prix des énergies fossiles, accélérera le recours aux renouvelables et au nucléaire. L'impact de la guerre en Ukraine présente au moins l'avantage de justifier des contraintes sur les usages et des sacrifices sur les quantités consommées, lesquels ne seraient pas admis en temps ordinaire. La sobriété va s'imposer dans les comportements individuels et collectifs. La rareté, dont les prix sont les signaux les plus tangibles, va conduire les gouvernements à hâter les transitions et à renforcer les dépenses de recherche et d'innovation.

L'écologie juste

Cette mutation, sous la contrainte, suppose des mesures significatives de justice sociale, faute de quoi la nouvelle politique sera rejetée par les peuples. Les 10 % des habitants les plus riches du monde génèrent 35 à 45 % de l'empreinte carbone des ménages tandis que la moitié de la population totale n'y prend part qu'à hauteur d'à peine 15 %. L'empreinte carbone d'un habitant faisant partie des 1 % les plus riches est cent fois plus élevée que celle des 50 % les plus pauvres. Ne croyons pas que nous échappions à ce type de constat : en France, les 1 % les plus favorisés émettent treize fois plus de CO_2 que les 50 % les plus modestes. Les pays riches sont donc légitimement interpellés : ils doivent reconnaître que la réduction des inégalités va de pair avec la lutte contre le réchauffement. C'est d'abord sur ceux qui consomment le plus, voyagent le plus, produisent le plus qu'il faut faire porter l'ajustement.

Pour atteindre l'objectif de 2 degrés et encore plus celui de 1,5 degré d'ici à la fin du siècle, il faudra consentir un triple effort : d'abord, la réduction drastique de la part des énergies fossiles et donc la fermeture à terme des centrales à gaz, pétrole et charbon, avec le développement des technologies de capture et de stockage pour contrebalancer les émissions résiduelles du secteur de l'énergie ; ensuite, la montée des renouvelables, et le recours accru à l'hydrogène ; enfin, une politique de décarbonation qui ira bien au-delà de l'isolation des logements, pour modifier profondément nos modes de transport, d'alimentation, de chauffage et de climatisation. Ces changements demandent de la conviction, du courage et de l'autorité.

Une rupture salutaire

Durant la crise sanitaire, bon gré mal gré, nous avons accepté de modifier nos façons de vivre et de travailler. Pourquoi ne serions-nous pas capables de l'admettre face à un péril moins immédiat mais plus certain ? Aussi bien, le système financier doit cesser de rechercher les mêmes taux de rentabilité pour les investissements utiles au climat que pour les autres. Il devra également financer la masse des investissements nécessaires à l'atténuation des dégâts du réchauffement comme à la transformation de notre appareil productif. Les banques centrales devront réorganiser leurs interventions en fonction de cet enjeu, dans une période où les taux d'intérêt vont progressivement s'élever et où des facilités devront être accordées pour le rachat des crédits mobilisés dans l'action climatique. Les banques de développement devront lever de nouveaux capitaux pour accompagner les investissements les plus utiles à la planète. Quant aux États, ils seront progressivement conduits à accorder leurs garanties sur les prêts des institutions financières qui concourent à la transition écologique.

Les entreprises sont également impactées : elles jouent leur survie dans cette crise. Si leurs actifs physiques sont menacés par les intempéries, si leur développement est perturbé par l'ampleur des désastres climatiques, si les consommateurs refusent les biens qui obèrent l'avenir de leurs enfants et si le rendement même des investissements est altéré, faute d'avoir anticipé les dégâts de l'élévation des températures, alors elles n'auront pas d'autres choix que d'intégrer les critères de la transition écologique dans leurs décisions. Les États devront faire respecter, par des normes réglementaires et fiscales autrement plus audacieuses que celles d'aujourd'hui, les objectifs de survie de la planète : certaines activités seront purement et simplement arrêtées, des produits seront interdits, des modes de déplacement découragés, des autorisations de construction drastiquement conditionnées et des pratiques agricoles strictement encadrées.

Sur ce sujet aussi, nous sommes entrés dans une « économie de guerre ». Ce qui nous apparaissait impossible à concevoir économiquement, politiquement ou culturellement se change en impératif. Ce qui relevait auparavant du temps long – la fin des énergies fossiles, la montée des renouvelables – devient subitement un horizon qui se rapproche de jour en jour. Et ce qui valait pour les autres s'impose implacablement à nous-mêmes.

Le monde ne peut plus attendre. En 2015 à Paris, nous pensions avoir posé un acte irréversible et irrésistible pour limiter le réchauffement. Mais tout s'est accéléré depuis. Le seuil de 1,5 degré susceptible de limiter les catastrophes sera atteint en 2040. Et même si nous parvenons à une neutralité carbone en 2050, la température ne redescendrait à ce niveau qu'à la fin du siècle. Avant cela, la « guerre » climatique aura provoqué des dommages irréparables et des pertes majeures pour notre biodiversité car, selon le GIEC, « chaque demi-degré en plus entraîne des événements plus intenses, plus fréquents et dans plus d'endroits ». Il n'y a donc plus de temps à perdre pour assurer la viabilité de nos sociétés. Tout a commencé en 2015 à Paris. La question est de savoir si la COP 21 marquait le début de la fin de l'indifférence ou le commencement du redressement vital.

2016

La vague souverainiste

Le souverainisme ne sévit jamais dans un seul pays. Longtemps cantonné à la marge des grandes démocraties ou limité à des États autoritaires, il a essaimé partout, alors que la mondialisation dominait ou, peut-être, précisément à cause de cette suprématie. Posée en règle intangible, l'ouverture indifférenciée des frontières a nourri la tentation identitaire. Le Brexit en a été l'illustration la plus éloquente.

La faute de Cameron

À la fin de l'année 2015, en marge d'un Conseil européen, David Cameron, Premier ministre britannique, vient nous confier, à Angela Merkel et à moi-même, qu'il va prochainement annoncer sa décision d'organiser un référendum sur l'appartenance du Royaume-Uni à l'Union européenne. Il nous rappelle que c'est un engagement qu'il avait pris devant les Britanniques dès 2013 et renouvelé à l'occasion des élections législatives de 2015 qui viennent de lui accorder une majorité confortable. Il nous explique qu'il ne voit pas d'autre solution pour mettre fin à la guérilla permanente d'un groupe de députés, qui réclament une sortie de son pays de l'Union et tendent à paralyser l'action de son gouvernement faute de réplique claire de sa part. Conforté par des sondages unanimes, il nous assure qu'il se fait fort de gagner la consultation. Nous lui répondons que le gouvernement de Londres est évidemment souverain mais que l'opération est dangereuse pour l'Union. J'évoque avec lui notre propre expérience, celle du référendum d'avril 2005, quand les Français, quoique majoritairement pro-européens, avaient rejeté le Traité constitutionnel parce qu'ils y voyaient une atteinte à leurs droits sociaux et à certaines de leurs libertés, quand bien même ne modifiait-il en rien les traités existants puisqu'il ne faisait que les reprendre ! J'ajoute qu'il n'est guère facile de faire prévaloir la raison dans ce genre de débat et qu'il se trouve toujours un bon motif de voter « non », pas forcément à l'Europe mais à ce qu'elle est supposée entraver ou imposer.

Angela Merkel exprime son inquiétude en évoquant la montée de l'extrême droite en Allemagne, à un moment où l'arrivée des réfugiés atteint son paroxysme. Nous concluons que, si le Brexit devait l'emporter, ce serait la première fois qu'un État membre ferait sécession, ce qui constituerait un fâcheux précédent. Mais Cameron a déjà fait son choix et il affiche le masque orgueilleux de la sérénité, tout en sollicitant habilement – croit-il – des concessions à ses collègues européens pour convaincre les Britanniques récalcitrants de lui accorder leurs suffrages. L'enjeu porte notamment sur le principe de la libre circulation des personnes, qui est pourtant le fondement même de l'espace européen, et celle des marchandises, qui est la base même du marché unique. Ce qui n'est donc pas négociable.

Durant les mois qui suivent, Conseil européen après Conseil européen, les chefs d'État et de gouvernement s'efforcent de consentir d'ultimes gestes susceptibles d'aider Cameron, sans déroger aux traités et sans accepter l'idée d'une union « à la carte ». Je fais partie des plus fermes car j'estime que les Britanniques ont déjà tiré avantage de multiples « opting out », c'est-à-dire d'exceptions, y compris pour leur contribution financière, négociée lorsque Margaret Thatcher en 1984 avait demandé et obtenu son chèque au sommet de Fontainebleau. Angela Merkel et les pays du Nord sont plus accommodants, tant ils craignent l'éloignement d'un partenaire à leurs yeux essentiel et dont ils partagent les thèses sur le libre-échange et l'ancrage à l'Alliance atlantique. Pourtant, malgré la multiplication des actes de bonne volonté, rien n'y fait : les « Brexiters » jouent sur l'inquiétude suscitée au sein des classes populaires par l'afflux d'immigrants en provenance d'Europe de l'Est et affirment – fallacieusement – que la sortie économisera des sommes considérables au budget britannique. Ils font valoir que le Royaume-Uni va recouvrer son indépendance, sa souveraineté et même sa dignité, que tout sera plus simple sans l'oppression des directives de Bruxelles, que la croissance sera plus forte, que la sécurité sera plus grande et la liberté plus belle. Contre les prévisions sondagières, le Brexit l'emporte sans discussion possible le 23 juin 2016.

Le lendemain du scrutin, j'appelle Angela Merkel. Je suggère d'admettre le caractère irréversible du choix. La chancelière avance l'espoir d'un deuxième vote, qui renverserait le résultat du premier. Mais c'est une chimère : les travaillistes eux-mêmes, dirigés alors par Jeremy Corbyn, lequel avait à peine caché son inclination pour le Brexit, ont adopté une attitude ambiguë, d'autant que leurs électeurs des circonscriptions populaires dans les bastions du nord de l'Angleterre ont souvent choisi le bulletin « leave ». Dissipant cette illusion, je demande en revanche que l'Union négocie fermement avec Londres pour que ce Brexit soit mis à la charge de ceux qui ont décidé de partir et non de ceux qui préfèrent rester. Il ne s'agit pas de punir les Britanniques mais de leur imputer les conséquences de leur décision, même les plus douloureuses.

L'Union est amputée d'un pays majeur. Le Royaume-Uni est membre permanent du Conseil de sécurité de l'ONU et représente une économie dynamique dont la City est la principale place financière d'Europe. Il ne pouvait être question de voir cet ancien membre concurrencer gravement ses voisins en pratiquant un dumping environnemental et fiscal et en ouvrant son marché aux géants asiatiques. Sur le plan politique, Londres affichait son intention de se rapprocher des États-Unis dans une posture étroitement atlantiste. C'était le vœu affiché de Boris Johnson, stimulé par la victoire de Trump en novembre 2016, qu'il avait pris pour modèle.

Le mirage du Brexit

Sept ans plus tard, qui peut prétendre que le Royaume-Uni a bénéficié du Brexit ? Sa vie politique a été paralysée pendant des années, sa population est profondément divisée, l'Irlande du Nord craint la résurgence d'un affrontement entre communautés, à moins que les difficultés liées à la gestion de la frontière ne suscitent un rapprochement inattendu avec la république d'Irlande, ce qui amputerait le Royaume-Uni d'une part de son territoire. L'Écosse elle-même est tentée par la partition. Elle réclame un nouveau référendum et affirme vouloir, en cas d'indépendance, revenir dans l'Union. Les avantages promis par les « Brexiters » ne sont pas plus au rendez-vous, l'économie du Royaume-Uni se porte plutôt mal, en tout cas pas mieux qu'avant, la croissance y est plus faible que chez ses voisins et l'inflation plus haute. La classe ouvrière est encore plus exposée à la mondialisation qu'elle ne l'était auparavant. Le seul élément tangible, c'est la mise en place d'une politique d'immigration nettement plus restrictive au détriment des travailleurs de l'Union européenne, sans que la question des réfugiés qui tentent de traverser la Manche ait été mieux réglée, sauf à escompter renvoyer ceux qui y parviennent vers le Rwanda, comme le gouvernement de Boris Johnson l'a envisagé. Voilà à quel recul des droits en est arrivé le pays de l'*habeas corpus* ! Mais peut-être était-ce finalement le but principal recherché par les « Brexiters »…

Pour toutes ces raisons, l'exemple de la Grande-Bretagne n'a été suivi par aucun autre État membre. La construction européenne se poursuit comme avant, voire à un rythme accéléré, et la pandémie puis la guerre ukrainienne ont montré que les vingt-sept étaient capables de serrer les rangs en cas de coup dur.

L'Europe devrait-elle cheminer pour autant vers un fédéralisme inavoué et former un ensemble qui se substituerait aux États ? Je ne le crois pas. Je considère qu'il n'existe pas vraiment d'identité européenne et que les peuples se réfèrent toujours à la nation comme espace politique. Ils ne veulent pas quitter l'Union, sans l'aimer pour autant. Elle leur paraît trop dominatrice et pas assez protectrice. Au moindre coup de vent, ils ont toujours la tentation de se replier derrière leurs frontières nationales. L'Union est l'œuvre de la raison et non du cœur. C'est sa faiblesse dans le débat électoral. C'est sa force dans la durée.

La vraie nature du populisme

La montée persistante du souverainisme a trouvé une expression encore plus spectaculaire en novembre 2016, avec l'élection de Donald Trump à la présidence des États-Unis. Sa victoire est le produit du conservatisme religieux, qui s'est répandu à mesure que les libertés s'élargissaient, et du déclassement des catégories laborieuses, qui s'est manifesté à mesure que l'industrie reculait, comme si la mondialisation avait eu raison du libéralisme économique et culturel qui l'avait justifiée, comme si elle avait généré la réaction nationale dont les populistes se sont emparés. L'incroyable débauche d'invectives et de mensonges déployée par Trump pendant la campagne présidentielle a joué son rôle. Mais c'est surtout la force d'un slogan simple qui a porté ce milliardaire imprévisible à la Maison-Blanche : « America First ». À l'inverse, Hillary Clinton est apparue comme la porte-parole des élites cosmopolites et la candidate des minorités face à la majorité blanche attachée aux valeurs traditionnelles. Un schéma qui ne disparaîtra pas de sitôt dans les grandes démocraties, et que nous avons retrouvé dans la campagne d'avril dernier pour l'élection présidentielle en France.

Aujourd'hui, le mandat erratique de Donald Trump, marqué par toutes sortes d'extravagances, de dérapages, d'incompétences répétées notamment durant la crise sanitaire et, en fin de parcours, par une tentative factieuse et violente contre le Capitole, est surtout un mauvais souvenir pour tous ceux qui aspirent à une vie politique apaisée aux États-Unis. Mais la victoire de Biden, acquise de peu, n'a pas mis fin à la carrière tumultueuse de Trump. Celui-ci continue de dominer le Parti républicain et de diffuser les aphorismes trompeurs et grossiers qui plaisent à son électorat, après avoir montré une légèreté abyssale dans les affaires de l'État.

Me revient à cet instant un souvenir. En novembre 2016, juste après son élection, Trump demande à me joindre. Entretien baroque et incongru : il commence par se plaindre du coût excessif de la présence militaire américaine en Europe, exigeant que cette dernière prenne une part plus importante du fardeau commun de la défense (ce qui n'est pas forcément une idée absurde, à condition que l'effort soit engagé dans un cadre cohérent…), puis, tout à trac, il fait mine de solliciter un conseil. Il me demande si je n'aurais pas, fort de mon expérience, quelques noms de personnalités américaines susceptibles de prendre la responsabilité des Affaires étrangères dans son Administration. Pris de court, je crois à une facétie, et je lui suggère de proposer le poste à Henry Kissinger, dont chacun connaît l'éminente compétence qui n'a d'égale que son âge canonique. Ne sachant s'il s'agissait d'une boutade ou d'un conseil, il met rapidement un terme à la conversation. Mais qu'est-ce qui est sérieux ou dérisoire pour lui ? Il invoque Dieu pour la remise en cause du droit à l'avortement tout en ne respectant aucune des règles de la morale chrétienne. Il prétend décider du sort du monde en flattant des foules belliqueuses tout en repliant le drapeau américain là où il avait été déployé. Il joue en permanence avec le feu en grattant toutes les allumettes de la frustration et de la peur, tout en n'assumant aucune confrontation d'envergure contre les États autocratiques. Il affirme que l'Amérique est une victime, menacée par des concurrences lointaines, ou bien agressée de l'intérieur, alors qu'elle est la première économie du monde, l'une des principales productrices d'énergies fossiles et la plus grande émettrice de CO_2 de cette planète. Sa vérité – alternative, bien entendu – c'est le mensonge. De ce point de vue, Poutine et Trump sont plus proches qu'ils ne l'imaginent. Même usage des fausses informations, même paranoïa face aux événements, même exaltation des nostalgies, même cynisme dans les moyens utilisés.

En fait, les doléances de Trump envers l'Europe, tout comme son discours isolationniste, expriment l'une des caractéristiques du populisme moderne, fort différent de ce qu'avait été le nationalisme des années 1930. Les extrémistes d'aujourd'hui, en France, en Grande-Bretagne, en Italie, en Pologne, aux États-Unis, au Brésil ou en Hongrie, ne tiennent pas un discours d'expansion territoriale comme les fascistes d'avant-guerre. Ils ne revendiquent pas de conquêtes mais le respect absolu des frontières existantes. « On est chez nous ! », tel est leur leit-motiv. Leur formule, c'est le repli. L'ennemi, il est à l'intérieur, il s'appelle l'étranger, l'islam ou les minorités sexuelles. Le peuple citoyen n'est plus le fondement de l'unité nationale. Le peuple dont ils parlent est constitué par les habitants qu'on dit « de souche ». Il est fait d'une race, d'une civilisation ou d'une identité qui se définit par l'exclusion des autres. Pour eux, la partie est plus essentielle que le tout. Elle doit rester dominante et il n'est plus question de « vivre ensemble » !

Ce sont les « nouveaux empires », chinois, russe, turc ou iranien, qui se projettent dans l'action exté-rieure et qui incarnent le nationalisme d'expansion. Au contraire, Trump n'aura de cesse d'organiser le retrait de son pays de la scène mondiale, en Afgha-nistan, au Moyen-Orient ou en Europe, pour se concentrer sur les problèmes domestiques.

L'isolationnisme du XXIe siècle

Ce nouvel isolationnisme est une tendance lourde aux États-Unis. Elle ne date pas de Trump. Elle ne s'est pas éteinte avec sa défaite. Même chez les démocrates, la tentation est forte. Et si Joe Biden s'investit personnellement dans la crise ukrainienne et prodigue une considérable aide militaire, parti-culièrement bienvenue, il se garde bien de risquer l'implication de ses soldats dans le conflit. Ce mou-vement de fond, qui porte un pacifisme dont le premier ingrédient est un égoïsme assumé, irrigue le continent européen où les partis extrémistes, face à la guerre, loin de s'impliquer dans la défense d'un peuple opprimé et d'un pays envahi, cultivent une nouvelle « neutralité » et revendiquent même au sein de la gauche radicale une sorte d'équidistance. Réticents à aller au-delà de l'assistance humanitaire, partisans d'un cessez-le-feu même s'il devait consacrer des conquêtes russes, soucieux de lever les sanctions là-bas pour ne pas frapper les consommateurs ici, les populistes préfèrent fermer les yeux, autant que les frontières. Ce nationalisme frileux cultive un patriotisme défensif, autour de la préservation de l'identité, de la sauvegarde d'un mode de vie et d'une forme d'indifférence aux désordres du monde.

En dépit de ses revers électoraux répétés, le souverainisme trouve un terreau inépuisable dans l'individualisation de la colère et la solitude de la protestation. Il est le dernier geste de ceux qui n'ont pas d'autre force que celle de leur refus ou pas d'autre moyen d'exprimer leur rejet que de s'abstenir de voter puisqu'ils se jugent oubliés et méprisés.

Ce mouvement ne s'arrêtera pas. Il se nourrit de toutes les crises (sanitaires, terroristes, économiques), il fait son miel de tous les désordres (le chômage hier, l'inflation aujourd'hui). Il s'abreuve de tous les complotismes, de tous les fantasmes qui imputent à des élites corrompues et lointaines les maux qui accablent le peuple. Il fait bon ménage avec les régimes autoritaires dont les chefs sont érigés en exemple de gouvernance efficace. Il imagine que le meilleur des mondes est d'abord celui qui les ignore. Cette vague qui ne cesse de monter met les démocraties à l'épreuve puisqu'elles doivent résister à la fois aux contestations qui les minent au cœur même de leur société (la fragmentation sociale, la ghettoïsation, l'éclatement territorial...) et aux agressions qui les menacent au-delà de leurs frontières. Comment parvenir à mobiliser des citoyens qui se sentent de plus en plus en distance les uns par rapport aux autres et qui éprouvent des doutes grandissants sur le bien-fondé du modèle social supposé les rassembler et qu'ils seraient appelés, le cas échéant, à défendre ? De la force de cette réponse dépendra la crédibilité de la France à rester une nation universelle.

2017

L'empire des GAFAM

Le 27 juin 2017, la Commission européenne condamne Google à une amende de 2,4 milliards d'euros pour « abus de position dominante ». Ce fut la première réaction sérieuse à l'emprise des nouveaux féodaux. Conduite par la commissaire à la concurrence, Margrethe Vestager, l'enquête a démontré que Google a profité de son quasi-monopole pour favoriser son propre comparateur de prix au détriment de ses concurrents. L'importance de la somme et le fait que ce soit l'Europe qui sanctionne une multinationale américaine font de cette amende spectaculaire un acte politique : après des années de tergiversation, les Européens entendent enfin limiter le pouvoir considérable acquis par les multinationales du numérique – les GAFAM, selon l'acronyme désormais célèbre – sur la vie de la planète.

Google a interjeté appel en 2017, puis une deuxième fois en 2022 après une nouvelle condamnation, mais ce sont des manœuvres de retardement. Entre-temps, la compagnie a été soumise à des amendes encore plus colossales pour de multiples entorses aux règles de la concurrence. Car même les gouvernements les plus libéraux ont compris que la domination des GAFAM fait peser sur leur économie un prélèvement insupportable en absorbant une part croissante de la valeur ajoutée et altère la santé des démocraties en imposant un modèle dominant qui fait une large place à la désinformation et manipule les données personnelles. Comment en est-on arrivé là ?

L'utopie numérique

Quand Internet prend son envol mondial, à la fin du siècle dernier, cette révolution technologique paraît s'accorder avec le mouvement du monde : l'effondrement de l'Union soviétique élargit l'espace de la liberté ; la mondialisation des échanges, dont la Chine entend être un des premiers acteurs, fait espérer une croissance continue du commerce international. Le développement d'un réseau numérique voué à l'échange, à la communication, à la diffusion instantanée de l'information et de la culture auprès de tout être humain muni d'un ordinateur ou d'un téléphone mobile, semble concourir à l'unification de la planète, au partage des données, à l'expression sans entraves des opinions et des débats et donc à l'émergence d'une civilisation mondiale.

La circulation des idées facilite aussi une nouvelle forme de militantisme. Elle permet de donner à toutes sortes de causes justes une visibilité instantanée et massive. Chacun sait le rôle que les réseaux sociaux ont joué dans les « printemps arabes » ou dans d'autres révoltes contre des dictatures. Des mobilisations dans les pays développés n'auraient jamais connu les engouements qui ont fait leur succès sans l'irruption d'initiatives visibles sur Internet.

Le plus spectaculaire de ces mouvements concerne les violences dont les femmes sont les victimes, jusque-là largement négligées. En 2007, Tarana Burke, une militante afro-américaine d'Alabama, lance le premier mouvement #metoo, qui permet, pendant dix ans, aux femmes victimes d'agressions de partager leur expérience sur la Toile. Le mouvement décuple son audience quand une enquête de presse sur les agissements odieux d'un producteur hollywoodien déclenche un mouvement universel de protestation à partir de la proclamation d'une actrice américaine, Alyssa Milano, qui crée la vague #metoo. Grâce à la puissance bénéfique du réseau, l'appel est relayé par des centaines de milliers de femmes de tous les pays. Partout la chaîne de dénonciations s'allonge, suscitant débats sans fin et polémiques ardentes. Les femmes victimes de violence ou de harcèlement dénoncent le comportement d'une pléiade d'hommes célèbres ou puissants. Le mouvement d'opinion conduit les élus de nombreux pays à mettre en œuvre des réformes législatives destinées à combattre plus efficacement le fléau. En octobre 2017, un sondage réalisé auprès des seuls internautes indique qu'au cours de leur vie, une femme sur deux et un homme sur dix auraient subi une forme d'agression (attouchements divers, baisers forcés…) ou de harcèlement sexuel (propos déplacés, insultes, propositions sexuelles…). D'innombrables témoignages dévoilent une sorte de continent occulté, fait de mépris, de brutalité et de violence nés d'un sexisme jusque-là favorisé par une coupable indulgence. Au total, grâce aux réseaux numériques, le mouvement #metoo a libéré la parole et fait progresser la conscience mondiale.

Bien d'autres causes, sociales, politiques ou écologiques, ont bénéficié des facilités offertes par la technologie pour mobiliser leurs soutiens, souvent à l'échelle mondiale, échanger informations et mots d'ordre, organiser des manifestations en présence réelle, influer sur l'attitude des responsables politiques et orienter l'action des pouvoirs publics dans tous les pays.

Pour toutes ces raisons, pendant de longues années, Google, Apple, Facebook, Amazon ou Microsoft ont joui d'une image positive et leur promotion a été entièrement fondée sur cet optimisme technologique et culturel, supposé porter des valeurs d'ouverture, de diversité, de créativité et de confiance. Le slogan quasi biblique de Google, *Don't do evil*, « Ne faites pas le mal », résume la prétention mondiale des « bons géants » du numérique.

Aujourd'hui, cette vision lénifiante n'a plus cours. Telle la langue d'Ésope, la Toile charrie le meilleur et le pire. Elle a démontré son influence bénéfique sur la diffusion du savoir et des œuvres, mais elle tend à priver les auteurs de leurs droits. Elle a généré de nouvelles activités et donc créé de nouveaux emplois mais elle a aussi détruit des chaînes de valeurs et « ubérisé » la société au détriment du salariat. Elle a mis en relation des individus en temps réel et en permanence, mais elle a aussi servi de vecteur au complotisme et déployé des instruments d'une efficacité inouïe au bénéfice des idéologies les plus réactionnaires ou permis des manipulations venant de pays non démocratiques. La doctrine libérale-libertaire qui préside au développement des GAFAM, dont Jeff Bezos, le fondateur d'Amazon, et Elon Musk, le P-DG de Tesla, sont les figures de proue, crée un désordre dont la première victime est la liberté dont ils se réclament.

J'ai rencontré Elon Musk en février 2014, au cours d'un voyage en Californie. Je rendais visite aux entreprises françaises de la Silicon Valley, pour écouter les jeunes dirigeants et pour examiner avec eux les moyens de les soutenir. J'en avais profité pour débattre aussi avec les leaders des grands groupes américains du numérique, pour recueillir leurs analyses et leur expliquer la position de la France sur la régulation de leurs activités en Europe. J'ai dialogué avec plusieurs de ces responsables, comme Sheryl Sandberg de Facebook, Eric Schmidt de Google ou Jack Dorsey de Twitter. Trente ans plus tôt, François Mitterrand avait effectué un voyage similaire, au cours duquel Steve Jobs l'avait interpellé sur le peu de start-up fondées en France, ce dont le premier président socialiste avait ensuite tenu compte pour prendre des mesures destinées à stimuler la création d'entreprises. Déjà ! C'est un échange du même genre qui avait dominé cette rencontre. Les P-DG de la Silicon Valley, comme toujours, ont plaidé devant moi pour le plus grand laisser-faire, ce à quoi j'ai répondu en soulignant la nécessité de se soumettre aux législations fiscales en vigueur en Europe et de respecter les lois sur la concurrence ou sur la protection de la vie privée.

Elon Musk fut le personnage le plus étonnant que j'aie rencontré au cours de ce voyage. Cet ingénieur sud-africain installé en Californie, aujourd'hui P-DG de Tesla et de Space X, les entreprises qu'il a fondées, est devenu à cinquante ans l'homme le plus riche au monde en pariant sur le véhicule autonome et en révolutionnant l'industrie des fusées porteuses de satellites. C'est un homme souriant aux yeux plissés et mobiles, parfois étrange dans son expression, qui agite des idées excentriques que sa réussite extraordinaire rend crédibles. Il symbolise à lui seul la fascination et l'effroi suscités par le développement des technologies numériques. Musk a démontré sa créativité en mettant au point des voitures électriques abordables et des lanceurs de satellites réutilisables, ce qui a porté sa capitalisation boursière à quelque 230 milliards de dollars. Il s'est diversifié dans l'intelligence artificielle, les robots ou l'énergie renouvelable. Son ascension n'est pas seulement celle d'un entrepreneur intrépide et imaginatif qui ignore toutes les frontières. Musk développe une vision de l'avenir fondée sur la toute-puissance de la science et sur la philosophie libertarienne, courant puissant aux États-Unis. Selon lui, l'action des géants de la « tech » ne doit pas seulement satisfaire de nouveaux besoins ou rendre de nouveaux services. Elle doit inventer le monde.

Musk veut conjurer la menace du réchauffement climatique en utilisant la technique numérique pour développer les énergies non carbonées. Il poursuit ses recherches dans l'intelligence artificielle pour bâtir un « être humain » capable de maîtriser les robots qu'il aura créés. Il est persuadé que la Terre sera bientôt incapable de nourrir ses habitants : il voit Space X comme la première étape d'un projet de colonisation de l'espace, qui permettra d'installer sur Mars une communauté d'un million de personnes. Il tient les nations pour des entités politiques dépassées ; il prêche pour une économie fluide, sans aucune entrave, qui puisse porter au plus haut les pouvoirs de l'humanité et conquérir de nouvelles planètes. Ainsi, sous couvert de créativité industrielle, c'est un projet de société prométhéen qui émerge de ce cerveau incroyablement puissant, en dehors de toute délibération publique et de toute procédure collective. Dans une forme d'utopie libérale extrême, le marché remplace la démocratie et la volonté des individus, exprimée par leurs consommations et leurs investissements, façonne un futur commun en reléguant les États au rang d'objets de musée. La science-fiction s'est invitée à la table d'un néocapitalisme dans lequel le rêve technologique devient une valeur boursière. Prétendre soulever des montagnes pour lever encore davantage de fonds !

Cette mentalité, portée par Musk à son paroxysme, se retrouve peu ou prou dans le comportement des grandes multinationales du numérique. D'abord, dans la sphère de l'économie. Parfaitement à l'aise dans un univers de laisser-faire, ces compagnies ont joué pleinement sur les ressorts d'une mondialisation sans freins ni règles. Elles ont mis à profit la disparité des législations nationales pour contourner toute réglementation, échapper à toute concurrence et faire apparaître leurs bénéfices dans les pays les moins-disants sur le plan fiscal. Elles ont créé une culture professionnelle d'apparence libre et décontractée, mais aussi hypercompétitive et le plus souvent affranchie des conventions du droit du travail. C'est seulement dans les toutes récentes années que des syndicats ont pu se constituer chez Amazon, après une longue guerre de tranchées.

Le monopole libéral

La prétention de ses firmes a fini par contrevenir à la philosophie de la compétition qui les anime : elles tendent à acquérir un quasi-monopole sur certaines activités, faussant les normes habituelles du marché. Leur capitalisation boursière gigantesque leur donne le moyen de se développer au-delà de leur métier d'origine – la création d'objets et de services numériques – pour contrôler des branches entières de la culture, du commerce, de l'information ou de la recherche. Elles conçoivent des projets de colonisation spatiale, d'exploitation marine, d'urbanisme utopique ou de création d'un « homme augmenté » selon les anticipations inquiétantes du « transhumanisme ». Elles ne tendent pas seulement à dominer le monde, mais aussi, hors de tout processus démocratique, à le réinventer.

De la même manière, leur doctrine, que j'appellerai l'anarcho-capitalisme, a facilité la propagation de contenus nuisibles à la société. Je pense aux messages de haine ou à la revendication du racisme, du sexisme et des autres discriminations, sans oublier la diffamation, l'injure publique et le mensonge. Or les géants du Net, de manière à favoriser l'usage sans limites de leurs réseaux, se sont arbitrairement affranchis des contraintes élémentaires qui encadrent la liberté d'expression et s'imposent pourtant à tous les autres médias. Ainsi les appels au meurtre lancés par des djihadistes, la propagation des idéologies racistes ou nazies, les harcèlements en meute contre tel ou tel individu pour de simples motifs d'hostilité personnelle, ont été longtemps mis en ligne librement sans que les propriétaires de ces réseaux paraissent s'en inquiéter. C'est récemment qu'a été introduit un début de régulation destiné à obliger les opérateurs à la vigilance et à retirer les contenus haineux de la circulation dès qu'ils en étaient avertis, c'est-à-dire bien après qu'ils ont été largement partagés.

Au-delà de ces cas d'illégalité flagrante, et sans qu'une parade efficace ait encore été trouvée, les rumeurs les plus folles circulent sur la Toile, enfermant souvent ceux qui y sont sensibles dans une bulle numérique où ils ne sont jamais contredits ni sérieusement informés. En vertu de leurs principes de liberté, les démocraties restent désarmées face à ce déferlement, pour ne pas dire ce bombardement. Les populistes en ont fait leur mode d'intervention, les États hostiles comme la Russie sont passés maîtres dans l'art de désinformer en ligne, de déstabiliser par des manœuvres « cyber » et de brouiller les attaques en réponse. En établissant un contrôle étroit sur les contenus et en coupant si besoin tout accès libre à Internet, les régimes autoritaires savent se protéger des messages qu'ils jugent pernicieux pour leur cohésion intérieure ou dangereux pour leur image. C'est le cas de la Russie qui s'emploie à justifier son « opération » en Ukraine ou de la Chine, de façon permanente, qui utilise les réseaux pour dénoncer la présence des Occidentaux, notamment de la France en Afrique.

Donald Trump aura été le seul chef d'État du monde à faire un usage immodéré d'Internet et à répandre les « informations » les plus insensées. N'a-t-il pas été jusqu'à prétendre que la victoire de son adversaire Biden était le résultat d'une vaste tricherie « organisée par les élites » ? Une partie de l'opinion américaine – et même mondiale – croit que les mêmes forces occultes ont organisé un immense complot pour mettre en place un trafic secret d'enfants vendus à des pédocriminels de la classe dirigeante. Et que dire de la propagande des « antivaccins » au moment de la pandémie ?

Face à Google

J'ai pu mesurer moi-même la capacité d'influence et l'avidité opiniâtre des GAFAM quand j'ai négocié avec Google pour améliorer la protection de la presse française. Depuis sa création, la compagnie, forte de sa position, utilise les contenus des journaux pour rendre son réseau plus attractif. Dans chaque rubrique, dans chaque occurrence de son système de recherche, Google inclut des extraits de presse ou des vidéos qui renvoient ensuite sur d'autres sites, de manière à « rafraîchir » sans cesse le service qu'elle offre aux internautes. Ces informations sont produites à grands frais par les titres de presse, sans qu'ils touchent la moindre redevance pour cette utilisation. Et quand ils protestent, Google menace simplement de les « déréférencer », c'est-à-dire de les priver de toute visibilité et de les couper des ressources publicitaires. Contrat léonin, passé entre deux partenaires totalement inégaux. D'où l'importance d'instaurer un « droit voisin » du droit d'auteur, pour obliger Google à rémunérer les contenus qui concourent au premier chef à son attractivité, ce que la France ne pouvait faire seule.

En l'absence de toute législation internationale, j'avais obtenu que Google, faute de reconnaître sa dette envers les journaux, contribue à aider la presse française. La compagnie accepta d'abonder un fonds de plusieurs dizaines de millions d'euros qui furent ensuite répartis entre les différents titres. C'était un progrès bien modeste, mais il fut suivi d'effets au niveau européen. Autant Google pouvait menacer un seul pays, autant ce géant ne pouvait sérieusement envisager de fermer son service pour un continent entier. Aujourd'hui le « droit voisin » a été intégré dans la législation européenne et procure aux journaux du continent un complément de chiffre d'affaires appréciable. Mais l'affaire a pris vingt ans, pour aboutir à un compromis honorable, quoique encore insuffisant.

Réguler Internet

La négociation fut tout aussi longue en matière d'évasion fiscale. Il s'agissait d'imposer aux grandes compagnies, au premier rang desquelles les GAFAM, l'acquittement d'un impôt minimal qui mette fin à ce privilège exorbitant qui consistait à choisir le lieu du moins-disant fiscal pour payer l'impôt. Ainsi, c'est seulement en 2021, après un accord conclu par les pays du G20, que cent trente-cinq pays réunis au sein de l'OCDE réussirent, malgré les préventions de l'Irlande, de l'Estonie et de la Hongrie, à obliger les multinationales à verser un impôt minimal de 15 % des bénéfices réalisés dans les pays où elles opèrent. Le taux est inférieur à celui pratiqué dans beaucoup de pays (dont la France), mais il pose une limite au « dumping » fiscal. Il devrait permettre de dégager quelque 150 milliards de dollars qui seront répartis entre les pays concernés.

Le Parlement européen a lui aussi progressé dans la régulation des activités des GAFAM. Au début de juillet 2022, il a approuvé deux séries de lois destinées à limiter leurs abus de pouvoir. Un règlement des marchés numériques (DMA) doit endiguer les pratiques anticoncurrentielles dont ces sociétés sont coutumières. La législation établit un contrôle de la Commission sur toutes les opérations de rachat de ces géants, quelle que soit la taille de la cible, pour contrer l'accaparement de l'innovation des start-up et les acquisitions visant la destruction d'un concurrent. Google se verra interdire tout favoritisme envers ses propres services et la loi empêchera Amazon d'utiliser les données générées sur ses sites par des entreprises clientes pour mieux les concurrencer. Le deuxième volet a pour but de lutter contre la prolifération des messages illégaux, notamment ceux qui incitent à la violence ou au racisme. Les opérateurs du numérique devront retirer « promptement » tout contenu illicite (selon les lois en vigueur) dès qu'ils en auront connaissance et suspendre les utilisateurs violant fréquemment les prescriptions.

La régulation du pouvoir des GAFAM est encore bien légère. Ces entreprises continuent de payer moins d'impôts que les autres ; elles véhiculent toujours des messages illicites et favorisent la diffusion de la propagande et du mensonge. L'expérience prouve que, face au pouvoir sans limite spatiale des firmes du numérique, seules des coalitions mondiales sont efficaces. Aux ambitions démesurées de ces nouvelles féodalités planétaires, il n'y a qu'une seule réponse : l'alliance des démocraties. Car c'est à la fois le financement de leurs fonctions collectives et de leur système social qui est en cause, autant que le maintien d'une économie de concurrence loyale et, surtout, la rectitude de leur vie publique et de leurs scrutins électoraux. Nées de la démocratie, ces firmes, pour une partie de leurs activités, en sont devenues les adversaires. Chacun doit le savoir et soutenir les réformes proposées par les gouvernements les plus lucides. C'est une condition de notre indépendance et la garantie de notre liberté.

2018

Le retour de l'atome

Depuis 1945, c'est la grande peur de l'humanité : un conflit armé qui déboucherait sur une catastrophe nucléaire. Grâce à l'équilibre de la terreur, puis avec la fin de la guerre froide et enfin par un processus de désarmement entre les deux grandes puissances atomiques, cette angoisse avait été reléguée au second plan. En raison de la prolifération de l'arme et de l'escalade du conflit en Ukraine, elle revient désormais au premier plan.

La faute de Trump

C'est la rupture de l'accord avec l'Iran en 2018 qui a ouvert cette nouvelle période de risques majeurs. Donald Trump avait des obsessions, souvent plus calculées qu'on le croyait. Parmi elles, l'abandon maintes fois demandé du pacte conclu en juillet 2015 à Vienne, entre l'Iran et le groupe des « 5 + 1 » (les cinq pays du Conseil de sécurité de l'ONU, États-Unis, France, Grande-Bretagne, Chine, Russie, auxquels se joint l'Allemagne). Outre ses propres convictions sur le caractère déséquilibré et même fallacieux des engagements réciproques, sa position avait l'avantage de lui rallier une partie de la communauté juive américaine, jusque-là plutôt proche des démocrates, et de la droite religieuse acquise à la défense inconditionnelle d'Israël.

Chose promise, chose due : le 8 mai 2018, l'administration Trump rompt unilatéralement le compromis âprement négocié par Barack Obama. Cet accord avait été patiemment élaboré en dix années de discussions complexes, ralenties par les vérifications effectuées sur place, qui ne rassuraient d'ailleurs guère sur les intentions du régime des mollahs. En échange de concessions de la part des Occidentaux – principalement la levée des sanctions –, Téhéran renonçait officiellement au nucléaire militaire et acceptait les contrôles internationaux pour constater que les engagements étaient bien respectés. Dans cette séquence diplomatique, la France, représentée par Laurent Fabius, ministre des Affaires étrangères, avait exigé des verrous pour garantir que l'accès à l'atome militaire était bien interdit et qu'il n'y avait pas de passage possible via le nucléaire civil. Barack Obama m'avait appelé pour que je ne demande pas de clauses supplémentaires dans le projet d'accord ; j'avais tenu bon pour hausser le niveau des exigences. Ce qui fut fait.

Ce compromis était le prolongement d'une longue histoire. Au début des années 1960, les puissances nucléaires – les États-Unis, la Russie, la Grande-Bretagne, la Chine et la France – s'inquiètent du danger majeur que représente la prolifération de l'arme nucléaire dans le monde. Leur raisonnement est simple : avec un petit nombre de protagonistes disposant d'un arsenal atomique, un « équilibre de la terreur » peut s'installer, susceptible d'épargner à l'humanité l'anéantissement, puisque le principe même de la dissuasion repose sur l'équivalence de la menace – y compris du faible au fort – et sur l'impossibilité d'utiliser l'atome militaire, sauf à provoquer la destruction mutuelle des belligérants. Parallèlement, constatant le coût de plus en plus élevé de la course aux armements nucléaires pendant la guerre froide, l'URSS et les États-Unis au premier chef entament dans les années 1970 des pourparlers visant à réduire progressivement leurs arsenaux. Ils débouchèrent sur le Traité sur les forces nucléaires intermédiaires (FNI), signé en décembre 1987 entre Ronald Reagan et Mikhaïl Gorbatchev et qui élimine une catégorie d'armement.

Mais chacun comprend aussi que cette sagesse relative, destinée à éviter une guerre effroyable, serait mise à mal si le nombre des pays disposant de l'arme absolue croissait sans cesse. L'exemple de la Corée du Nord, qui clame ouvertement qu'elle peut accéder à l'arme atomique et dont la rhétorique agressive est permanente, en est la confirmation. La dissémination de l'atome militaire représente un risque élevé si toutes sortes de pays, souvent engagés dans des conflits locaux, deviennent à leur tour des États nucléaires.

C'est sur ces principes de bon sens que plusieurs accords de « non-prolifération » ont été signés, dans le but de forcer une large partie de la communauté internationale à renoncer à cette arme. Il n'est pas sûr que ces traités aient été pleinement respectés, d'autant qu'ils n'ont pas été ratifiés par les États les plus à même de parvenir à la maîtrise de cette technologie. Il ne fait aucun doute qu'Israël dispose de capacités nucléaires ou, à tout le moins, des moyens de s'en doter rapidement. C'est également vrai du Pakistan et de l'Inde, dans une forme de dissuasion mutuelle à l'échelle régionale.

L'Iran, qui a cette ambition depuis les années 1970, posait un problème particulier compte tenu de la nature du régime et de son hostilité déclarée à Israël. Au cas où la République islamique franchirait le seuil ouvrant la maîtrise du dispositif, Benyamin Netanyahou avait prévenu : l'État hébreu procéderait à une attaque préventive. D'où la pression exercée sur l'Iran pour qu'il abaisse le nombre ses centrifugeuses de près des deux tiers afin de cantonner l'enrichissement à un usage civil.

En 2013, l'arrivée au pouvoir d'un dirigeant plus modéré, Hassan Rohani, et le souci des autorités iraniennes d'ouvrir l'économie de leur pays offrent une occasion que Barack Obama veut à tout prix saisir. Il s'agit pour lui de garantir la sécurité d'Israël, d'associer l'Iran à la régulation des conflits du Moyen-Orient et d'offrir un nouveau champ de conquête aux investissements américains en pariant que le commerce sera un facteur de paix et la prospérité un vecteur de modernisation des sociétés. Il est donc convenu que l'Iran continuera de développer le nucléaire civil, mais renoncera à utiliser cette énergie pour produire des bombes. Le gouvernement de Téhéran se placera sous le contrôle de l'Agence internationale de l'énergie atomique (AIEA, mise en place par l'ONU) pour assurer le respect de sa parole. Cette démarche est saluée dans le monde entier, sauf par Israël, qui refuse de faire confiance au régime iranien. En échange, les Occidentaux prévoient de lever progressivement les sanctions contre l'Iran. Dans une région qui accumule les tensions, il était démontré que la négociation internationale pouvait éviter une escalade dangereuse et nous permettre de réintroduire Téhéran dans la mondialisation.

En mai 2018, conformément à ses avertissements, Donald Trump met à mal ce processus. Il considère que l'Iran triche sur l'application de l'accord et poursuit subrepticement ses recherches ; il reproche en outre au régime des mollahs d'attiser les feux au Liban, au Yémen, et d'entretenir une confrontation avec l'Arabie saoudite, alors même que l'accord, sans le prévoir explicitement, aurait dû mettre un terme à ces agissements. Autant d'arguments pour déchirer le traité et lancer un nouveau train de sanctions.

La réplique iranienne

Ce revirement fut désastreux : l'Iran se retrouvait libre de pousser plus avant son programme nucléaire, sans aucun mécanisme pour l'en empêcher, tout en continuant de mener sa politique d'intervention directe ou indirecte dans les affaires irakiennes, syriennes ou libanaises. La sécurité d'Israël ne s'en trouvait nullement renforcée et l'influence de Téhéran sur le théâtre moyen-oriental se développait comme avant. L'imposition des sanctions faisait fuir les entreprises européennes d'un pays dont les potentialités de croissance sont considérables.

Aujourd'hui, Joe Biden tente de reprendre les discussions de Vienne sur le nucléaire iranien. Mais il est bien tard. Depuis la rupture, le régime islamique a accéléré le processus, notamment en se dotant d'un atelier de pièces détachées dans un sous-sol de son usine de Natanz et en installant sur son sol quelque mille centrifugeuses avancées. Plusieurs indices laissent penser que l'Iran possède suffisamment d'uranium enrichi pour fabriquer une bombe quand il sera parvenu au stade ultime de la mise au point. Les autorités de Téhéran refusent de s'expliquer auprès de l'AIEA sur la présence de matières fissiles non déclarées découvertes par les inspecteurs, et compliquent leur travail en désactivant les caméras de contrôle. Bref, l'Iran est devenu un « pays du seuil », c'est-à-dire qu'il figure parmi les États qui peuvent accéder à l'arme nucléaire en quelques mois.

Cette issue, si elle se confirmait, conduirait inexorablement l'Arabie saoudite et la Turquie à revendiquer le même statut. Le danger nucléaire, qu'on pensait pour l'essentiel maîtrisé, reviendrait en force sur la scène mondiale. Quant à Israël, son gouvernement ne resterait pas inerte. Il a prévenu. Il frapperait !

En Corée du Nord, le régime ne cesse de menacer ses voisins en procédant à des essais inquiétants et en testant des missiles capables de frapper leur cible à des milliers de kilomètres. Donald Trump – ce fut l'une des rares réussites de son mandat – était parvenu avec le dictateur coréen à un accord « fantastique », selon les mots toujours sans nuance qui sont les siens, sans que fût connue la réalité des engagements consentis par le régime de Pyongyang. Depuis, Kim Jong-un a fait reprendre les exercices de tirs balistiques et exhibe sa collection de vecteurs « hypersoniques », invoquant un contexte international turbulent et réaffirmant sa volonté de défier la puissance américaine « sur le long terme ». Dans un système nord-coréen dont nul ne connaît vraiment le fonctionnement, où les compétitions internes pour le pouvoir sont imprévisibles, le risque existe qu'un dirigeant qui n'aurait plus rien à perdre décide un jour de tout faire sauter sans que la peur d'une riposte retienne son geste. Cette irrationalité justifie de ne pas négliger la Corée du Nord et de continuer à faire pression sur elle.

La bombe en Europe

C'est en Europe que la menace nucléaire s'est rapprochée. Voyant ses plans contrariés en Ukraine, Vladimir Poutine a lui aussi agité le spectre d'une riposte destructrice si l'OTAN poursuivait sa politique de soutien militaire aux autorités de Kiev. Les démocraties ont néanmoins continué de livrer des armes à l'Ukraine malgré le risque d'être tenues pour « cobelligérantes ». La réaction du côté russe fut purement verbale. Mais certains stratèges occidentaux n'écartent plus le risque de voir Moscou recourir à des frappes nucléaires « limitées » si les opérations menées dans l'est de l'Ukraine tournaient mal. Ce n'est pas l'hypothèse que je retiens. Vladimir Poutine emprunte le langage effrayant de la guerre froide pour intimider les opinions publiques et ainsi faire pression sur les États enclins à intervenir davantage. Il recourt à des missiles de longue portée, comme pour démontrer la crédibilité de ses forces et affirmer sa supériorité militaire. C'est ainsi que la Russie a utilisé des lanceurs capables de viser des cibles très éloignées et de déjouer toutes les défenses anti-aériennes. Pour convaincre les sceptiques qu'il dispose de toutes les options, il laisse entendre que ces armements pourraient aussi embarquer des ogives nucléaires. Le 1ᵉʳ février 2019, Donald

Trump a suspendu la participation des États-Unis au traité FNI. Dès le lendemain, la Russie a répliqué en relançant le développement de nouveaux missiles afin d'être en mesure de percer les systèmes défensifs mis en œuvre par les États-Unis, et la menace s'est accrue.

Mais Poutine connaît parfaitement les règles de la dissuasion. Aussi perfectionné soit son nouvel arsenal, son utilisation, même tactique et localisée, appellerait une réaction du même niveau et de la même intensité destructrice de la part des États-Unis. Le nucléaire reste une arme psychologique faite pour impressionner, inquiéter, empêcher, mais à condition de ne jamais servir !

C'est une tout autre logique qui prévaudrait si la tension persistait entre l'Iran et Israël, si les négociations avec Téhéran échouaient et s'il ne faisait plus de doute que l'Iran était sur le point de détenir l'arme atomique. Je n'ai pas d'hésitation là-dessus. Ce scénario aboutirait à des bombardements préventifs menés par l'aviation israélienne contre les installations iraniennes.

Au-delà de ce contexte régional explosif, l'évolution technologique en cours stimule la prolifération nucléaire, car elle abaisse graduellement le seuil à franchir pour se doter d'une arme atomique. L'objectif climatique incite au développement du nucléaire civil et la construction de centrales met à la disposition des États les infrastructures et les combustibles nécessaires à la confection d'un armement nucléaire. Les progrès accomplis par nombre de pays en matière de missiles à longue portée rendent plausible la menace d'une frappe à des milliers de kilomètres. La Russie, par exemple, se targue de disposer désormais d'engins « hypersoniques » capables de transporter des charges nucléaires à une vitesse telle qu'ils deviennent difficilement détectables et peuvent percer les défenses les mieux organisées.

Ainsi, le monde éprouve le sentiment de revivre une histoire déjà connue. Les années 1950 et 1960 avaient été dominées par l'effroi nucléaire, dont Hiroshima et Nagasaki étaient devenus les symboles les plus tragiques. Soixante ans plus tard, tandis que les nationalismes agressifs font florès, la communauté internationale doit remettre l'ouvrage sur le métier : reprendre les négociations de désarmement au moment où les nouveaux empires ne songent qu'à disposer des éléments les plus tangibles de la puissance. Sachant que les termes du débat ont changé, comme les calculs des acteurs. La miniaturisation des armes a fait perdre le caractère ultime de l'usage du nucléaire, lesquelles peuvent être plus limitées et les effets collatéraux plus réduits, ce qui rend leur utilisation plus tentante.

D'autres questions se posent dans ce contexte à un État nucléaire comme la France : Comment faire encore jouer la dissuasion entre les puissances dotées du feu atomique si les tirs tactiques s'inscrivent dans le champ de bataille ? À quel moment une nation comme la nôtre peut-elle avoir recours à une arme de destruction massive ? Est-elle prête à déclencher le feu quand un pays de l'Alliance atlantique est attaqué par un missile ou simplement quand ses « intérêts vitaux » – c'est-à-dire territoriaux – sont en cause ? Faut-il réagir sous cette forme épouvantable face à une agression qui reste conventionnelle ? Ou seulement en réplique à une attaque nucléaire ?

À chacune de ces questions, les réponses possibles s'écrivent dans le champ national et dans le cadre d'un système collectif de défense. Notre force de dissuasion française ne se partage pas. Ni en Europe ni dans l'OTAN. Elle est l'instrument majeur de notre indépendance, mais elle exige un mode d'emploi adapté aux conditions nouvelles de la prolifération. Si l'arme atomique se répand, c'est tout l'équilibre militaire de la planète qui doit désormais être passé en revue pour garder une chance de sauvegarder la paix et de conjurer le risque d'un accident nucléaire. Nous pensions devoir lutter avant tout contre « l'apocalypse climatique ». Et voilà que revient la perspective d'un autre effondrement avec l'atome, tout aussi angoissante.

2019
Le réveil de l'Europe

Il faut du temps pour admettre l'irréversible. Ainsi, après la victoire du Brexit en juin 2016, certains croyaient encore à une autre issue que celle de la séparation. Dans la société britannique, les élites ne s'avouaient pas vaincues et pensaient qu'à un moment, le pays pourrait être ramené à ce qu'elles appelaient « la raison ». La Commission européenne supposait que les conséquences malheureuses de la rupture allaient ouvrir les yeux aux Britanniques. Sans qu'elle m'ait fait de confidence à ce sujet, Angela Merkel, qui entretenait de bons rapports avec Theresa May, espérait toujours un « re-vote » qui aurait permis de maintenir le Royaume-Uni au sein de l'Europe. L'arrivée de Boris Johnson au 10 Downing Street en mars 2019 allait dissiper ces illusions. Les reports successifs n'étaient pas les signes d'un renoncement mais les préparatifs avant le grand départ.

Le Royaume-Uni contre l'Union

Le 20 décembre 2019, le schisme est consommé. Le Parlement de Westminster adopte la loi sur le Brexit. Le retrait officiel est proclamé le 31 janvier suivant. Pour la première fois dans l'histoire de l'Union, un pays retrouve sa souveraineté pleine et entière. Et pas n'importe lequel, puisque le Royaume-Uni est membre permanent du Conseil de sécurité de l'ONU, dispose de l'arme atomique et contribue donc à assurer, avec la France, la protection du continent. Au sein des vingt-sept, qui font autant que possible bon visage, deux questions cruciales se posent. D'autres pays vont-ils suivre l'exemple britannique ? L'Europe sera-t-elle capable de se redéfinir en incarnant un projet suffisamment exaltant pour décourager tout nouveau départ ?

Trois ans plus tard, la réponse est claire. L'Europe est plus que jamais unie et aucun pays n'a suivi Londres, ce qui dément les anticipations les plus sombres. L'Union a conjuré les menaces proférées par les antieuropéens et les plaintes formulées à l'égard de « l'insupportable tutelle européenne ». Contre les prophètes de l'éclatement, l'Europe a retrouvé sa cohésion et sa raison d'être.

La Pologne et la Hongrie, dont les rapports avec Bruxelles sont émaillés de dissensions sur les libertés publiques comme sur la politique migratoire, et dont l'attachement aux valeurs européennes est sujet à caution, n'ont pas suivi le Royaume-Uni. Les Hongrois élisent et réélisent Victor Orban, leader nationaliste aux amitiés poutiniennes, mais malgré ses incantations et ses chantages, il n'a à aucun moment indiqué son intention de quitter l'Union. Grâce aux fonds structurels, son pays reçoit de Bruxelles toutes sortes d'aides ; il est protégé par l'euro même s'il garde la maîtrise de sa monnaie nationale ; face à la pression que la Russie voisine fait peser sur les pays de l'est du continent, il considère que son intérêt stratégique est bien de rester arrimé à l'Occident en général et à l'Union en particulier, ce qui ne l'empêche pas de proclamer une quasi-neutralité dans le conflit qui oppose la Russie à l'Ukraine et d'entretenir une complaisance idéologique avec Vladimir Poutine autour du culte du chef.

Même raisonnement chez les Polonais, qui gardent le souvenir cuisant des périodes où ils étaient liés à l'URSS par le pacte de Varsovie, avec des troupes soviétiques stationnant sur leur territoire. Toute l'histoire récente du pays a consisté à se défaire de l'influence russe, à travers la saga libératrice du syndicat Solidarnosc. Personne en Pologne ne souhaite prendre le moindre écart dans ce domaine et le pays de Lech Walesa figure au premier rang des nations décidées à aider l'Ukraine à combattre l'invasion de son territoire. Cette « solidarité » ne va pas jusqu'à accueillir d'autres réfugiés que des Ukrainiens ni à renoncer à promouvoir les valeurs traditionnelles que partage Vladimir Poutine, mais elle arrime la Pologne plus que jamais à l'OTAN.

À l'ouest, les partis extrémistes, qui multipliaient leurs critiques envers « l'hydre bruxelloise » et dénonçaient l'indépendance de la Banque centrale européenne, ne professent plus leurs thèses souverainistes avec la même foi. Comment se plaindre des largesses budgétaires autorisées par la Commission et des liquidités abondantes versées par la BCE au nom d'une politique monétaire accommodante ? Aucun ne préconise de quitter l'Union ou la zone euro. Cette volte-face ne vient pas d'une soudaine conversion à l'idée européenne. Elle tient à la prise en compte de la réalité des opinions publiques, peu enclines à prendre le pari de se priver des protections que confère l'appartenance à un ensemble jugé plutôt rassurant. Il est vrai que la succession des épreuves financières depuis 2019 et le rôle joué par la monnaie unique pour les surmonter incitent les peuples à lui faire confiance.

Les crises font l'Europe

Dans l'histoire de la construction européenne, c'est une leçon désormais bien connue et bien apprise. Si lente à adopter une attitude commune par temps calme, l'Union se renforce dans les épreuves. Ce fut d'abord vrai dans la tourmente des « subprimes » en 2008. Pris de court par une secousse venant des États-Unis, et après avoir hésité et procrastiné, les dirigeants de la zone euro ont fini par instaurer la garantie commune des dépôts bancaires, la régulation du système financier et la création d'un mécanisme de solidarité qui ont fait leur preuve. Avec la crise des réfugiés en 2015, qui a bousculé ses règles et ses arrangements, l'Europe de Schengen, certes avec retard et tergiversation, a protégé ses frontières et ses côtes, accueilli, non sans mal, ces nouveaux migrants et allégé la charge des pays de première entrée comme l'Italie et la Grèce.

L'Europe a aussi regardé avec plus de lucidité que beaucoup d'autres le dérèglement climatique. La plupart des États membres figurent parmi les plus conscients du caractère crucial de la mutation écologique, même s'ils y répondent de manière différente. La gravité du constat établi par le GIEC et la récurrence des catastrophes y compris en Europe ont conduit la Commission européenne à hâter la mobilisation et à préciser les engagements. Le 11 décembre 2020, les vingt-sept adoptent un vaste plan d'investissement européen, le « Green Deal », destiné à réduire de 55 % les émissions de gaz à effet de serre par rapport au niveau de 1990 et à atteindre la neutralité carbone en 2050, conformément aux objectifs fixés lors de la COP 21.

Plus tard, avec la pandémie, alors même que les questions de santé sont du ressort exclusif des États, l'Union a su prendre les décisions nécessaires. Les gouvernements se sont coordonnés étroitement. Certes, chacun a adopté des mesures sanitaires adaptées à sa situation, mais ils ont mené la bataille des vaccins de concert, Bruxelles a négocié les quantités nécessaires et le prix acceptable pour assurer avec les laboratoires pharmaceutiques une juste répartition entre les pays membres.

L'Europe ne s'en est pas tenue là. Le Conseil européen, sur proposition de la Commission, a adopté un plan de relance de 750 milliards d'euros, conçu pour conjurer la récession qui enveloppait le continent. Il a orienté ces fonds vers des dépenses d'investissement et conditionné le versement des dotations à des engagements clairs de la part des États en matière climatique. L'Europe a enfin admis, et c'est une innovation majeure, le principe d'un emprunt commun au nom de l'Union tout entière, mesure à laquelle les pays du Nord, l'Allemagne en tête, s'étaient jusque-là farouchement opposés. Parallèlement, la Banque centrale européenne, qui avait déjà sauvé la zone euro lors de la crise financière en relâchant les contraintes monétaires, a amplifié son soutien en maintenant les taux d'intérêt à un niveau quasi nul.

Sidérée par la guerre en Ukraine, l'Europe a pris conscience de sa vulnérabilité, de sa coupable négligence en matière de sécurité et de la naïveté avec laquelle elle a longtemps conduit sa relation avec la Russie. L'Union a non seulement condamné d'une seule voix l'agression mais elle a aussi apporté un soutien politique au président Zelensky jusqu'à reconnaître à son pays le statut de candidat à l'adhésion. Elle a été au-delà de l'adoption d'une série de sanctions inédites par leur niveau, elle a organisé une aide spectaculaire aux autorités de Kiev, y compris par l'envoi d'équipements militaires.

La vieille idée d'une défense européenne commune, qui avait fini par tomber en désuétude faute de volontaires, a repris soudainement vie. L'Allemagne a annoncé qu'elle était prête à accroître sensiblement ses engagements militaires et a dégagé 100 milliards pour moderniser son armée, les Européens se sont coordonnés sur le plan tactique et stratégique, et le projet d'un pilier européen important et autonome au sein de l'OTAN a progressé à pas de géant. La Russie de Poutine a ainsi réussi le tour de force de liguer les Européens contre elle, d'offrir une nouvelle jeunesse à l'Alliance atlantique et d'inciter les pays de son voisinage, la Finlande et la Suède, à abandonner leur neutralité et à demander de rejoindre l'OTAN.

« Le nationalisme, c'est la guerre », disait François Mitterrand. Rarement adage aura trouvé meilleure illustration que dans la crise ukrainienne. Mais la guerre mène au malheur les agresseurs autant que les agressés. L'Ukraine subit des destructions effroyables et des exactions dont nul n'aurait imaginé la répétition de la barbarie sur le sol européen en ce début de XXI⁰ siècle. La Russie commence à faire l'amère expérience d'un conflit conventionnel, avec des armes sophistiquées, dont l'artillerie en est la forme la plus redoutable, et elle fait face à des soldats prêts à résister jusqu'au bout au nom d'un patriotisme plus galvanisant que celui qui anime les conscrits de Poutine !

Elle enregistre des pertes humaines importantes (au moins quinze mille morts depuis le début de l'intervention). Elle subit une réduction drastique de sa production et une inflation galopante qui va ronger à terme la valeur de sa monnaie. Tandis que l'Europe prend la mesure de cette nouvelle donne stratégique et rehausse en conséquence le niveau des dépenses liées à sa sécurité, ce qui se traduira au terme de la décennie par une plus grande crédibilité militaire et une standardisation de ses équipements.

Ferments de division

Cette affirmation européenne n'efface pas les différends qui opposent les pays membres. À l'est la Pologne et au nord les pays baltes et scandinaves, qui ont une frontière commune avec la Russie, tiennent avant tout au bouclier américain, dont ils dépendent étroitement pour leur protection. L'Allemagne soutient l'idée d'une autonomie stratégique promue par la France mais achète aussitôt des avions américains plutôt qu'européens et reste sous la dépendance de la Russie pour son commerce et son approvisionnement en gaz, en charbon et en pétrole. Elle envisage certes de s'en défaire au plus tôt, mais pas aussi vite qu'il serait nécessaire, quoique trop rapidement pour les industriels allemands qui en payent le prix fort, au risque d'arrêter de produire !

Les pays dits « frugaux », attachés à l'orthodoxie budgétaire, ont accepté d'accorder un répit aux États les plus dépensiers, mais ils demanderont bientôt que l'ancienne règle des déficits nationaux limités à 3 % du PIB soit remise en vigueur. Ce qui pourra réintroduire une césure géographique au sein de l'Union, les pays du Sud, Italie, Espagne ou France, rechignant à rétablir une forme d'austérité, tandis que les pays du Nord appelleront au rétablissement d'une discipline, face au spectre de la remontée des taux d'intérêt et de la fragmentation de la zone euro. Après avoir abandonné provisoirement ses propres lignes rouges et admis pour la première fois l'émission d'un emprunt européen commun, l'Allemagne sera tentée de défendre un retour à la rigueur budgétaire d'autant que la Banque centrale adoptera à son tour, face à une inflation qui s'installe durablement, une politique monétaire plus restrictive, qui rehaussera le coût des dettes publiques et privées. Les éléments d'une stagflation se trouvent ainsi réunis. Elle pourra mettre en difficulté les gouvernements, qui devront faire preuve d'une pédagogie courageuse pour justifier à des opinions publiques de plus en plus rétives que le soutien à l'Ukraine et les sanctions à l'égard de la Russie ont un prix qui s'appelle l'inflation.

Dans ce contexte tumultueux, l'Europe devra aussi répondre aux demandes d'adhésion qui émanent des pays balkaniques comme la Serbie, la Bosnie, le Monténégro, la Macédoine du Nord ou l'Albanie, qui formulent une impatience d'autant plus grande qu'ont été admises les candidatures de l'Ukraine et de la Moldavie. Ainsi le classique dilemme de « l'élargissement » se posera-t-il avec plus d'acuité : s'étendre encore pour intégrer les marges, au risque d'affaiblir le cœur, ou bien se refermer au risque de négliger des pays prêts à regarder du côté de la Russie ou de la Turquie. Accueillir des nouveaux membres, pour prévenir la résurgence des conflits sur le sol européen, mais en courant le danger d'introduire en son sein des affrontements ethniques et territoriaux. Je n'oublie pas la Turquie, qui fait mine de confirmer sa volonté de poursuivre la négociation concernant sa propre entrée, pour mieux compliquer le jeu.

Afin de dépasser ces contradictions, l'Europe doit aller au-delà du souci de sa seule sécurité. Elle doit promouvoir de nouveaux projets en matière de réindustrialisation, de maîtrise du numérique ou de protection de ses frontières vis-à-vis de la concurrence chinoise. Ou encore élaborer une position commune dans les rapports avec l'Afrique. Sans oublier la priorité climatique qui doit faire de l'Europe un continent exemplaire.

Comme toujours, ces avancées ne seront possibles que si l'entente franco-allemande est préservée et relancée. Ce couple reste le moteur de l'Union. Encore faut-il que cette carte soit jouée avec sincérité et intelligence, c'est-à-dire sans écarter les autres grands pays (Italie et Espagne) et sans ignorer le Royaume-Uni qui bien qu'extérieur à l'Union doit rester notre partenaire. L'Europe a progressé dans la tourmente. Il lui reste un long chemin à parcourir… sous la tempête.

2020

Le monde à l'arrêt

Un virus a bouleversé la planète. Il a obligé les États à tout arrêter, les activités comme les déplacements, mais aussi à tout bousculer, les comptes publics comme les libertés les plus élémentaires. Face à une telle adversité, quel fut le système politique le plus efficace ? Car la Covid n'a pas frappé indifféremment les populations. Elle a passé au crible l'efficacité des différents modèles de gouvernement.

Politiques de la pandémie

Quand la pandémie se déclare en Chine – quarante-quatre patients recensés le 5 janvier 2020, atteints d'une forme inconnue d'affection respiratoire –, les autorités de Pékin réagissent avec brutalité : confinement de villes entières, fermeture des frontières, quarantaines systématiques, contraintes policières draconiennes imposées à la population. Trois mois plus tard, l'épidémie de Covid-19 a atteint la planète entière et chaque gouvernement, pris au dépourvu, tente d'endiguer le mal à l'aide de mesures disparates.

A priori, les démocraties semblent mal placées pour surmonter l'épreuve. Elles sont attachées aux libertés publiques et répugnent aux mesures coercitives. Elles font confiance à la responsabilité personnelle. Elles sont soumises à des conditions strictes pour suspendre certaines dispositions de l'État de droit. Rien de surprenant qu'elles aient réagi avec retard et avec prudence. Elles se résignent à des confinements provisoires, tentent de soulager l'engorgement des hôpitaux en mobilisant les personnels de santé, et lancent dans la plus grande urgence la recherche d'un vaccin dont on dit qu'il ne sera pas disponible avant plusieurs années. Elles semblent payer cher cette réponse incertaine, puisque l'épicentre de la pandémie se fixe en Europe et qu'il faut suspendre les échanges, voire la circulation des personnes, pour protéger la population la plus âgée et limiter le nombre de morts. Elles multiplient les restrictions puis les couvre-feux. Mais jamais elles ne sont allées aussi loin que la Chine, qui a mis en place une dictature sanitaire implacable, enfermant des millions d'habitants dans leur domicile pendant des semaines.

À l'inverse, les leaders populistes, Trump ou Bolsonaro en tête, choisissent le déni, minimisent la gravité du fléau, refusent les mesures de discipline et multiplient les provocations en prétendant

terrasser l'épidémie par leur seule volonté politique. Ils finissent par attraper eux-mêmes la Covid,
c'est-à-dire par devenir les victimes de leur propre
aveuglement.

Deux ans plus tard, le bilan humain est lourd
(deux millions de décès pour toute l'Europe) mais la
pandémie est contenue, le système hospitalier a fait
face, la vaccination de masse, organisée en quelques
semaines, a fait la preuve de son efficacité, même si
elle n'empêche pas toujours la transmission du virus.
Aujourd'hui, la plupart des mesures contraignantes
sont levées. Au même moment, la Chine, qui vantait
sa stratégie de « zéro Covid », continue de cloîtrer
des millions de gens. Elle accroît encore la surveil-
lance orwellienne de sa population et semble incapable de tourner la page de l'épidémie. Quant à la
récession observée en 2020, elle a été suivie par une
reprise forte de la croissance, stimulée il est vrai par
une relance massive, à l'image du « quoi qu'il en
coûte » adopté par la France. Ce relâchement budgétaire n'est pas pour rien dans le retour de l'inflation en 2022.

Les populistes se gaussaient de la coopération internationale. Ils la jugeaient manipulée par
les grandes firmes pharmaceutiques, tout en faisant l'apologie de traitements hétérodoxes dont les
résultats se sont avérés pratiquement nuls. Pourtant, c'est cette coordination et cette solidarité qui
ont permis de faire aboutir en un temps record les
recherches prometteuses, lesquelles ont débouché

sur des mesures de prévention efficaces et une vaccination accessible à tous. Vanté à son de trompe par le régime de Poutine, et affublé du glorieux sobriquet de « Spoutnik », le vaccin russe s'est révélé bien moins performant que les thérapeutiques occidentales mises au point par des laboratoires qui ont été capables de les produire à une vitesse que beaucoup jugeaient auparavant inatteignable. La Covid reste présente, avec ses multiples variants, mais la situation est aujourd'hui maîtrisée, et le nombre de victimes ramené progressivement au niveau de celui des épidémies de grippe. Qui a donc gagné la partie ? Les démocraties ou les régimes autoritaires ?

Les leçons de la Covid

Malgré les polémiques et les contestations inhérentes à leurs principes mêmes, les démocraties ont fait la démonstration de leur capacité d'adaptation. Elles ont fait preuve d'un pragmatisme budgétaire et monétaire inattendu en faisant sauter tous les verrous, évitant ainsi une explosion de faillites et le retour du chômage. Jamais le keynésianisme n'aura trouvé pareil champ d'application pour valider son bien-fondé quand la demande globale fait défaut. Mais jamais les déficits publics n'auront été aussi élevés et les dettes accumulées aussi impressionnantes, rappelant qu'en « économie de guerre » rien n'est impossible, même si la paix revenue, la remise en ordre est douloureuse.

Au terme de cette tourmente sanitaire qui a balayé le monde et qui a fait entre treize et dix-sept millions de morts, trois leçons méritent d'être tirées. D'abord, sur le fonctionnement de nos sociétés. Partout en Europe, les gouvernements ont pris des mesures exceptionnelles qui ont parfois ouvert des brèches sérieuses dans l'État de droit. Souvent mal expliquées, parfois mal calibrées, elles ont suscité une vague de défiance envers les responsables, soulevée par une minorité ardente. Au-delà d'un mouvement « antivax » obscurantiste mais limité, une partie de la population a critiqué les décisions, refusé certaines restrictions pourtant acceptées par une large majorité, entretenu sur les réseaux sociaux une mobilisation agressive aux accents complotistes, souvent fondée sur toute une série de désinformations difficiles à contrer, et apporté son soutien à des mouvements et à des personnes qui ont utilisé ces réticences pour obtenir des gains politiques. D'ailleurs sans grand succès.

La conclusion est limpide : les mesures d'exception sont admises si elles sont soigneusement encadrées par les institutions. C'est dans ce cadre que les règles indispensables doivent être évaluées par des contre-pouvoirs vigilants – le Parlement et les tribunaux au premier chef – pour s'exercer dans la plus grande transparence (ce qui a manqué en France) et disparaître aussitôt la situation sanitaire maîtrisée. Les législations nées de circonstances exceptionnelles ne sauraient s'incruster dans le droit commun et surplomber le fonctionnement des démocraties comme une épée de Damoclès, qu'un futur gouvernement moins respectueux des libertés individuelles pourrait utiliser à d'autres fins. Dans le temps et l'espace, l'état d'urgence ne saurait aller au-delà des nécessités évidentes et reconnues par tous. Il doit surtout être aboli dès la fin des événements qui ont justifié son introduction.

La deuxième leçon, c'est l'exigence d'une politique de santé publique qui ne se limite pas aux soins et à l'urgence. La prévention est la réponse la moins coûteuse à la survenance d'une crise. Les pénuries de masques, de médicaments ou de matériels médicaux constatées durant la pandémie illustrent, a contrario, cette nécessité de dépenser plus pour couvrir des aléas qui ne se produiront peut-être jamais, plutôt que de dépenser bien davantage, le jour où ils se révèlent, faute de les avoir anticipés. Parallèlement les États ont compris la nécessité de regagner, par une politique de recherche, leur indépendance sanitaire, ce qui suppose une réindustrialisation et une relocalisation des activités, tout comme une réforme d'ampleur du système hospitalier, qui le rende capable d'affronter les chocs futurs forcément imprévisibles. Son organisation rigide a été prise en défaut, tout comme l'incohérence de son financement et des liens trop distants avec les professionnels de santé. Les urgences ont été saturées et les soignants se sont retrouvés au bord de l'épuisement, faute pour les établissements de pouvoir retenir et attirer du personnel.

Enfin, les mécanismes de coopération internationale ont fait valoir leur pertinence mais aussi leurs limites. L'Organisation mondiale de la santé (OMS) a usé de sa légitimité pour faire circuler les informations et échanger les expériences, mais elle n'a pas fourni des réponses appropriées à la situation des pays les plus pauvres. La solidarité mondiale s'est exercée par des dons de vaccins de la part de certains États, au nom d'une diplomatie sanitaire dont la Chine s'est fait une spécialité, mais elle n'a pas permis de lever les brevets sur les médicaments pour produire localement des génériques. Les grands laboratoires pharmaceutiques ont engrangé des profits considérables à la faveur de la pandémie, suscitant la mise en cause des logiques financières indifférentes aux exigences de santé publique, et alors même qu'aucun prélèvement à l'échelle mondiale ou nationale n'a été introduit pour y mettre au moins une limite.

Ainsi, le libéralisme a lui aussi été pris en défaut. Les inégalités se sont creusées dans les pays développés quand les rares libertés se sont réduites comme peau de chagrin dans les États autoritaires. Le monde a réagi de manière fragmentée et éclatée, comme si, même devant un virus, chaque camp essayait de faire prévaloir son régime politique, son réseau d'alliances et ses performances économiques. Or seul le multilatéralisme, appuyé sur des règles de droit international, peut offrir à la population du globe une protection contre les futures pandémies.

D'où la nécessité de mettre en place les institutions et les mécanismes susceptibles à l'avenir de prévenir ou de juguler les crises sanitaires.

S'il y a un rôle que l'ONU, avec les organisations qui lui sont attachées, doit assumer, c'est d'agir pour l'intérêt commun : le climat, l'environnement, l'eau et la santé. Impuissante à régler les conflits armés, bloquée par les veto russe, chinois et américain au Conseil de sécurité, dépendante de moyens financiers de plus en plus chichement consentis par les États, incapable d'entretenir des missions longues de maintien de la paix, l'ONU pourrait, au moins sur les sujets qui concernent la communauté internationale dans son ensemble, mobiliser des fonds, prendre des décisions rapides et assurer la solidarité à l'égard des plus pauvres. C'est ce qui reste au multilatéralisme quand il a tout perdu sur le plan politique. Ce n'est finalement pas une si mauvaise cause pour l'ONU que de préserver la vie de la planète et de ses habitants.

2021

Échec aux missionnaires armés

Dimanche 15 août 2021, vingt ans après avoir quitté Kaboul, les talibans sont de retour dans la capitale afghane. Ayant pourtant promis de résister jusqu'à la mort, le président récemment élu s'enfuit vers les Émirats ; les forces entraînées et formées par des Occidentaux capitulent sans tenter la moindre résistance ; le personnel de l'ambassade américaine est évacué dans la panique, rappelant la débâcle vietnamienne cinquante ans plus tôt ! Avec cette différence : cette fois, la défaite ne concerne pas seulement les États-Unis mais tous les pays de l'OTAN, qui n'ont pas ménagé leurs efforts depuis 2002 pour déployer des contingents et du matériel en Afghanistan, et ont subi des pertes humaines importantes, au risque de susciter l'incompréhension de leur opinion publique.

Après la faute lourde de la deuxième guerre en Irak, cet échec cuisant scelle-t-il définitivement le principe même des interventions des démocraties pour écarter le fanatisme, abattre des dictateurs et promouvoir un mode de vie fondé sur la liberté ? Ou montre-t-il seulement que, pour réussir, elles doivent être limitées dans le temps, accompagnées par une politique de développement et par la mobilisation des ONG afin de prévenir la corruption ? J'en avais eu conscience lorsque j'avais mis un terme en décembre 2012 à notre présence en Afghanistan, et j'en ai eu confirmation lorsque la France a prolongé indûment l'opération Barkhane au Mali.

Quitter l'Afghanistan

Le 19 mai 2012, à peine élu président, je suis face à Barack Obama dans le bureau ovale de la Maison-Blanche. Je suis venu lui annoncer que, conformément à l'un de mes engagements de campagne, j'ai décidé de retirer les troupes françaises stationnées en Afghanistan. La situation me paraît sans issue : l'alliance occidentale tente depuis des années de stabiliser un pays en proie à la lutte armée des talibans et aux dangereux accommodements des responsables locaux, sans engendrer de succès définitif. Autant l'intervention consécutive à l'attentat du 11 septembre 2001 me paraissait justifiée pour chasser les talibans du pouvoir, autant la présence prolongée de troupes occidentales finit par se retourner contre elles. Aucune population n'aime les « missionnaires armés », selon le mot de Robespierre. C'est aux Afghans, in fine, de régler eux-mêmes leurs affaires. J'estime nécessaire de passer la main aux autorités légitimes même si elles jouent de l'ambiguïté et appellent à la poursuite de la solidarité internationale tout en maintenant des liens avec les talibans.

Le président américain m'explique que la tâche n'est pas achevée, que l'armée afghane n'est pas prête, et que notre départ pourrait en précipiter d'autres. Mais il admet ma décision. Ne vient-il pas lui-même d'opérer le retrait de ses troupes d'Irak ? Pour marquer ma solidarité, j'accepte que des soldats français restent pour sécuriser l'aéroport de Kaboul et le principal hôpital de la ville. En 2014 ils seront partis.

Avant notre départ effectif, nous essuyons de nouvelles pertes : quatre militaires français sont tués dans une embuscade pendant l'été 2012. J'assiste le cœur serré à l'hommage qui leur est rendu dans la cour des Invalides avec cette obsédante question : n'aurait-on pas pu hâter notre désengagement ? En réalité, les exigences d'un repli en bon ordre et en toute sécurité ont reporté notre opération à la fin de l'année 2012. J'ai dû négocier avec les présidents turkmène et ouzbek pour qu'ils nous permettent de faire transiter notre matériel par leurs pays. Ils ont exigé au passage que nous leur en cédions une part. En six mois, nous retirons l'essentiel de nos troupes et évacuons nos installations. Encore aujourd'hui, je revendique cette décision : elle nous a évité d'autres déconvenues.

Fiasco à Kaboul

Les Américains vont rester dix ans de plus en Afghanistan, subir de nouvelles pertes – quelque 2 000 morts et 20 000 blessés –, dépenser des centaines de milliards, sans aucun résultat. L'administration de Donald Trump négociera au Qatar à partir de 2020 un accord avec les talibans prévoyant une transition rapide, et Joe Biden le mettra en œuvre, dans une atmosphère de débandade tragique qui a donné au monde le vertige. Les fanatiques avaient donc eu raison de l'une des plus longues et coûteuses interventions extérieures de la communauté internationale. En quelques jours, tout s'écroulait en Afghanistan comme un château de cartes : les institutions lentement installées par des élections dont les Afghans s'étaient peu à peu détournés ; l'armée nationale, malgré les énormes sommes dépensées par les États-Unis pour la former, laissait les milices talibanes prendre possession sans combattre de la plupart des villes du pays.

Le bilan est accablant pour les Occidentaux : avec les talibans au pouvoir, l'État islamique et Al-Qaïda occupent désormais des positions au cœur même de la région. L'élimination réussie d'Aymam Al-Zawahiri en août dernier, sur le balcon de sa résidence et à quelques centaines de mètres du palais présidentiel, est la preuve des faveurs consenties par les talibans à cette organisation terroriste. La réalité est surtout

142

cruelle pour les Afghans : la charia est rétablie sous sa forme la plus extrême, ils subissent les privations, la famine, et la suppression de leurs droits élémentaires. Leur pays entre dans la longue nuit islamiste ; un pouvoir fanatique établit un régime obscurantiste sur les ruines d'une nation ravagée par quarante années de guerre, même si pendant ces deux dernières décennies, les filles ont pu aller à l'école et à l'université et qu'une partie de la population a pu goûter, ici ou là, et pour quelques années, à la consommation et à la liberté. Aujourd'hui le pays est fermé dans ses frontières et les femmes enfermées dans leur burqa. Quel que soit le comportement des talibans, aucune opération internationale ne pourra jamais être menée pour abattre de nouveau leur régime.

Ce fiasco a été observé avec gourmandise par la Russie, elle qui s'était embourbée sur ce même terrain dans les années 1980, ce qui avait accéléré la déliquescence de l'Union soviétique. Pour Vladimir Poutine, c'est une revanche qu'il savoure et un ennemi de l'Occident qu'il accueille. Il ne tarde pas d'ailleurs à recevoir les nouveaux dirigeants. À ses yeux, cette déconfiture traduit la faiblesse des démocraties et consacre le déclin de l'Amérique. Son aventure guerrière en Ukraine a pour partie été fondée sur ce constat.

La Chine, même si elle s'inquiète des progrès de l'islamisme, a vu le parti qu'elle pouvait tirer de la défaite piteuse de son grand rival. Son allié pakistanais s'en trouve renforcé, son rival indien, dont le nationalisme hindou est exacerbé par la prétention des musulmans à se faire respecter dans cette grande démocratie, ne peut qu'en être contrarié. La Turquie et l'Iran jouent habilement les intermédiaires entre les talibans et les grandes puissances. Enfin les pays du Golfe, traditionnels alliés des États-Unis, ont perçu dans le lâchage de l'Afghanistan le risque de voir l'Amérique prendre aussi ses distances avec le monde arabe. Quant à l'Europe, elle est restée spectatrice. Elle a déploré l'événement et, pour garder sa bonne conscience, elle a accueilli – avec parcimonie – ceux qui fuyaient.

Déconvenue au Mali

Nous n'en sommes pas encore là au Sahel, mais la question est posée. Là aussi, la décision initiale était justifiée. Sans l'intervention française au Mali en janvier 2013, les colonnes armées islamistes se seraient emparées de Bamako, pour étendre le fléau djihadiste à toute l'Afrique de l'Ouest. Les opérations Chammal puis Barkhane, menées avec compétence et courage par nos armées, ont permis de cantonner les djihadistes dans le nord du pays, de leur infliger des revers importants et de stabiliser – pour quelques années – les institutions maliennes. Mais la prolongation indéfinie de Barkhane a abouti à distordre les liens avec ce pays ami. Là encore, la longue présence de troupes étrangères a fini par susciter la défiance d'une partie de la population.

Certes, l'action efficace des soldats français et des contingents européens a eu des effets bénéfiques : des dommages sérieux ont été infligés aux groupes terroristes et les villes de Tombouctou et de Gao ont été sécurisées. Mais ces effets se sont amenuisés au fil des années, dans l'entrelacs des conflits ethniques qui minent le pays. À ces divisions s'est ajoutée l'incapacité de l'armée malienne à contrôler le territoire dont elle a la charge. Plutôt que de consacrer leurs forces à la lutte contre les islamistes, les militaires maliens ont fini par intervenir directement dans la vie politique. Un premier coup d'État a chassé le président élu (Ibrahim Boubacar Keïta, un ami de la France et un démocrate sincère, hélas pusillanime), puis un second, perpétré par une autre faction, a confisqué le pouvoir et achevé de fragiliser la position du Mali au sein de l'Afrique de l'Ouest. Sauvés de la menace djihadiste par notre armée, les putschistes se sont retournés contre elle, attisant le sentiment antifrançais. Au bout du compte, ils ont préféré s'adresser à la Russie et faire appel à son bras armé privé, à savoir les commandos Wagner. Ces mercenaires forment une garde prétorienne qui, au lieu de combattre les terroristes, protège la position des militaires qui se sont emparés du pouvoir et n'entendent pas le restituer aux civils avant longtemps malgré les pressions de l'organisation régionale de l'Ouest africain, la CEDEAO. Une propagande sournoise alimentée par les services russes multiplie les fausses informations sur l'action de Barkhane pour couvrir les exactions commises contre la population civile par des éléments de Wagner. Les groupes relevant de l'État islamique et d'Al-Qaïda en ont profité pour reprendre leurs positions dans le nord du Mali, annulant pour partie les gains réalisés grâce à notre intervention, et désormais pour mener leurs actions autour de Bamako.

Faut-il se retirer des autres pays du Sahel ? Les Européens restés sur place sont tentés de le faire. Ce serait une erreur. La France doit poursuivre son action au Niger, au Burkina Faso et au Tchad. Elle doit le faire en plein accord avec les autorités de ces pays et en prévoyant son désengagement graduel. Notre position n'est pas fondée sur la recherche d'intérêts économiques, ni sur la volonté d'exercer une domination ou de créer un lien de dépendance. Les Africains doivent décider de leur sort et notre pays a toujours une dette à leur égard, qu'il est loin d'avoir soldée. Notre départ définitif et complet exposerait cette région à de graves dangers. Mais sans calendrier établi et sans objectifs clairement partagés, notre présence engendrerait les mêmes déboires qu'au Mali, où la France n'a plus aucune raison de prolonger une opération utile en son temps mais qui se heurte désormais à l'hostilité de la junte et aux doutes que celle-ci suscite dans l'opinion malienne, avec la complicité des agents russes, sur la nature de nos intentions. Il est néanmoins à craindre que ce pays bascule entièrement dans le chaos, ce qui déstabiliserait encore davantage toute la région.

Les risques de la non-intervention

C'est une époque qui s'achève : celle des opérations militaires occidentales dans des pays lointains. En Irak, en Syrie, en Libye, en Afghanistan et dans l'Afrique subsaharienne, les guerres menées par les démocraties se sont avérées décevantes, coûteuses en hommes et en ressources, et se sont souvent soldées par de graves déconvenues géopolitiques. Les islamistes ont été affaiblis dans un premier temps, mais ils ont persisté dans leurs entreprises sanglantes et souvent profité du vide instauré par la guerre pour intensifier le djihad armé. Les gouvernements locaux sont minés par l'instabilité et la corruption ; ils peinent le plus souvent à prendre la suite des troupes étrangères qui se retirent. La logique voudrait que l'ONU et ses forces de maintien de la paix assurent le relais. Mais les règles de fonctionnement et d'engagement des « casques bleus » sont rigides, les contingents nationaux mis à disposition sont mal formés et peu motivés – et les dépenses d'entretien sont élevées –, ce qui obère leur efficacité. Aussi l'ONU s'épuise-t-elle à assurer une présence qui ne dissuade que faiblement les belligérants et ne répond que timidement aux attaques dont ses missions elles-mêmes sont victimes.

Bref le multilatéralisme trouve, là aussi, de désolantes limites. Le Moyen-Orient et l'Afrique restent des champs de bataille où s'affrontent des forces disparates et agressives et où personne ne semble plus en mesure de rétablir la paix. Je citerai une nouvelle fois Robespierre : « La plus extravagante idée qui puisse naître dans la tête d'un politique est de croire qu'il suffise à un peuple d'entrer à mains armées chez un peuple étranger pour lui faire adopter sa Constitution. »

Ce constat lucide mais douloureux ne peut cependant conduire à l'abstention générale des démocraties face aux désordres du monde, encore moins à une forme d'indifférence coupable devant des conflits locaux qui dégénèrent en massacres et finissent toujours par s'exporter. Je pense à ce qui se produit en Éthiopie depuis deux ans, et notamment dans la région du Tigré où les exactions des belligérants n'ont guère suscité de mobilisation internationale et ont été couvertes par la bienveillance de la Chine et de la Turquie.

Aussi, si je déplore les effets pervers des interventions directes, je ne me résous pas à la passivité ou à l'inertie. Je crois encore à l'action politique et diplomatique, à l'aide économique et militaire, en s'appuyant sur les forces locales et les gouvernements courageux.

En Ukraine, les démocraties ont fourni des crédits, des armes et un appui politique à une population décidée à se défendre, représentée par un président énergique et légitime. C'était la condition. Chaque situation est différente et requiert une stratégie adaptée. Mais l'esprit de croisade a fait son temps. Revient celui de l'action multilatérale, des alliances durables avec des autorités responsables et déterminées. Bref, s'ouvre le temps de la diplomatie et de l'influence, du soutien et de la coopération. Celui de la tutelle bienveillante et de la protection forcée s'achève.

2022

La guerre chez nous

J'ai beaucoup travaillé avec Angela Merkel et je garde d'elle le souvenir d'une femme dont la vive intelligence est mise au service d'une inaltérable persévérance. Elle allie des convictions solides à un pragmatisme qui peut exaspérer les empressés. Elle sait ce qu'elle veut, mais est prête aux compromis pour y parvenir, quitte à y passer un temps insupportable ! Elle a le souci du travail bien fait, elle connaît ses dossiers à fond et fait tout pour le montrer. Certains la croient austère, appliquée, pour ne pas dire ennuyeuse, selon le cliché qu'on attache trop souvent aux dirigeants allemands. C'est tout le contraire : elle sait être chaleureuse, attentionnée, joyeuse et aime la vie. Elle s'épanche peu mais s'intéresse aux autres, apprécie la plaisanterie et rit volontiers des situations cocasses que la vie internationale fournit. Nous avons souvent déjeuné ou dîné ensemble, à l'Élysée, à la chancellerie, ou bien lors des conférences communes, à Minsk ou à Washington. Elle se garde de tout excès, mais elle est gourmande et goûte volontiers les vins français. La sommelière de l'Élysée lui conservait toujours une bouteille de son cru préféré pour chacune de ses visites. Angela était sensible à ces marques d'attention, elle qui avait appris dans le passé à se méfier de tout.

Elle raconte volontiers les préjugés dont elle a été victime comme femme politique dans un monde d'hommes, et comme ancienne ressortissante d'un pays de l'Est, qu'on a parfois tendance à traiter, pas seulement en Allemagne, avec une certaine commisération. C'est avant tout une bonne élève, qui s'est hissée dans la hiérarchie du gouvernement par sa compétence et son savoir. Dès qu'il s'agit de prendre des décisions, de conclure un accord, de rédiger un communiqué, elle fait preuve de la plus grande minutie. « Je suis physicienne, dit-elle souvent, je veux comprendre. » Pour elle, de même qu'il y a toujours une solution rationnelle aux problèmes scientifiques, il y a toujours une solution raisonnable aux problèmes politiques. C'est ainsi qu'elle entre sans cesse dans le détail, ne laissant rien dans l'ombre, examinant à fond toutes les conséquences possibles d'une position, quitte à en changer ! Elle a toujours le temps et n'est jamais impatiente. Sans doute est-ce l'habitude des négociations propres aux régimes parlementaires, qui supposent l'élaboration d'écritures interminables entre partis différents : souvent, après avoir discuté des heures, y compris la nuit, elle demandait encore, fût-ce au petit jour, de nouveaux éléments, posait encore des questions, traquait les dernières ambiguïtés dans un texte d'accord, jusqu'à désespérer ses interlocuteurs épuisés et pressés d'en finir. Toute réunion devait avoir un objet précis et une fin explicite. Elle cherchait toujours, dans les instances internationales, non à briller par des exposés abstraits ou généraux, mais à dégager des éléments tangibles qui permettent d'avancer.

Un injuste procès

Depuis l'éclatement de la guerre d'Ukraine, il a été reproché à la chancelière allemande d'avoir entretenu des rapports trop étroits avec Vladimir Poutine. Elle aurait exagérément compté sur une bonne volonté réciproque et fait preuve d'une forme de naïveté à son égard. Il n'y a rien de plus faux : elle était parfaitement lucide sur le dirigeant russe, qu'elle connaissait depuis longtemps et dont elle n'ignorait rien de son passé ni de ses travers. Tous les deux avaient commencé leur carrière – bien différente – dans le même pays, l'Allemagne de l'Est, et sous le même régime communiste, dont elle mesurait plus que d'autres la brutalité et l'habitude du mensonge. Poutine était membre des services secrets soviétiques, dont elle avait expérimenté les méthodes et les ruses dans sa jeunesse. Elle le jugeait aussi dans ses rapports avec les femmes, marqués par une condescendance affirmée, un travers général parmi les dirigeants communistes, mais dont elle avait elle-même souffert au début de sa carrière de la part de ses collègues de l'Ouest. Elle était tout aussi consciente de la brutalité du personnage, de son cynisme, de ses tactiques d'intimidation dont elle avait pu elle-même faire les frais, de ses colères soudaines et spectaculaires. C'est dire qu'elle n'avait à son sujet aucune illusion. Elle savait s'en faire respecter.

Son raisonnement était tout autre : forts de leur puissance économique, les dirigeants allemands considéraient qu'il fallait faire comprendre aux dictateurs – pour lesquels ils n'éprouvaient évidemment aucune sympathie – qu'ils avaient plus à perdre qu'à gagner en utilisant la force pour parvenir à leurs fins. C'est pour cette raison qu'Angela Merkel tenait à développer les échanges de son pays avec la Russie, pas seulement pour des raisons mercantiles mais parce que l'intérêt économique et financier de ses interlocuteurs, pensait-elle, finirait par leur imposer une retenue, une prudence dans la compétition entre nations. Ce faisant, elle reflétait l'opinion générale de la classe politique allemande, qui tablait sur le commerce pour apaiser les relations internationales. Dans cette direction, d'ailleurs, les autres forces politiques allaient plus loin qu'elle. Les écologistes ou le parti de gauche Die Linke avaient des tendances pacifistes ; le SPD souhaitait encore plus qu'elle une politique d'ouverture à l'est. À la différence de Gerhard Schröder, Angela Merkel n'a jamais, de près ou de loin, coopéré personnellement avec des entreprises russes.

La tradition établie en Allemagne depuis la fin de la guerre lui interdisait toute participation à des opérations militaires. Angela Merkel m'avait par exemple refusé toute aide logistique pour transporter les matériels de guerre au Mali, en m'indiquant qu'elle ne recevrait jamais l'autorisation du Bundestag pour ce genre d'initiative.

Si elle a commis une erreur, ce fut donc celle de l'opinion allemande, qui croyait qu'une collaboration commerciale sans cesse renforcée et une relation durable sur le plan énergétique contiendraient la volonté belliqueuse russe, alors que Poutine croyait surtout dans la constitution d'une coopération économique « eurasiatique » avec les pays voisins de la Russie et regardait d'abord l'Allemagne comme un gros client.

Trait permanent chez Angela Merkel : elle joue le rôle de *Mutti*, la « mère », qui écoute ses enfants – en l'occurrence ses électeurs – et qui prend les décisions qui reflètent leurs aspirations. C'est pour tenir compte de l'opinion qu'elle a décidé de sortir du nucléaire après l'accident de Fukushima ou bien qu'elle a organisé l'accueil d'un million de réfugiés au moment de la crise syrienne. C'est pour la même raison qu'elle a cherché à enserrer Poutine dans des liens économiques.

« Il vaut mieux que nous le voyions à deux », me disait-elle à propos du dirigeant russe. Non parce qu'elle craignait quoi que ce soit, mais parce que la France, puissance nucléaire et militaire, complétait l'Allemagne, puissance industrielle et commerciale. Au fond, sa rationalité scientifique n'a pas suffisamment anticipé la brutalité irrationnelle du nationalisme, qui a poussé Poutine à l'affrontement armé, au détriment des intérêts réels de la Russie.

L'emprise russe

Comme Angela Merkel, la communauté internationale a longtemps pensé que Vladimir Poutine respecterait l'interdit tacite qui prévalait sur le continent depuis la fin de la Seconde Guerre mondiale : pas de guerre en Europe. Jusque-là, seule la désagrégation de l'ancienne Yougoslavie avait provoqué un conflit armé, meurtrier, mais cantonné aux nations balkaniques. Même si, au Kosovo, l'OTAN avait procédé à des bombardements qui s'avérèrent décisifs pour faire céder le président serbe Milosevic.

Jusque-là, les entreprises militaires de la Russie se déroulaient loin des frontières de l'Union, en Tchétchénie, en Géorgie ou en Arménie. À partir de 2014, la Russie s'est engagée à visage découvert en Syrie, assurant ainsi la victoire de Bachar el-Assad. Elle s'est ensuite invitée en Libye pour appuyer l'une des factions. Dans ce pays déchiré, elle s'est installée en usant d'une milice privée, les commandos Wagner, et s'est déclarée prête à répondre à toute sollicitation via cette armée de mercenaires, dont le dirigeant est un ami proche du président russe, ce qui fut fait en Centrafrique, au Mali, sans doute en Érythrée, au Mozambique et même, dit-on, à Madagascar !

En Ukraine, après la révolution de Maïdan en février 2014, Vladimir Poutine avait procédé au rattachement de la Crimée à la Russie. Mais il avait mis les formes en suscitant une rébellion, dont il prétendait contre toute vraisemblance qu'elle était spontanée. L'organisation d'un référendum avait suffi à donner à cette annexion l'apparence d'une légitimité. Il avait appuyé directement les séparatistes du Donbass, les avait incités à proclamer des républiques sans aller jusqu'à les reconnaître officiellement. Ce fut la première guerre d'Ukraine (2014-2015), sans l'intervention avouée de l'armée russe, mais il fallait être aveugle ou complaisant pour ne pas y voir sa présence et, à défaut, ses équipements.

Les accords de Minsk de février 2015 avaient imposé un cessez-le-feu et défini un cadre pour le règlement du conflit. Pendant les années qui suivirent, Vladimir Poutine avait veillé à rester dans le format Normandie, appelé ainsi parce qu'à l'occasion des cérémonies du Débarquement, le 6 juin 2014, j'avais accueilli, avec Angela Merkel, le président ukrainien Petro Porochenko et le président russe dans un château près de Caen pour lancer un processus de dialogue et de reconnaissance. Poutine laissait penser à ses interlocuteurs qu'il s'inscrivait dans ce mouvement, même s'il s'appliquait en fait à l'enrayer. Les Ukrainiens, au demeurant, ne marquaient pas meilleure volonté. Le statu quo semblait la solution privilégiée de part et d'autre pour faire du Donbass un conflit gelé, dans une région qui n'était plus en guerre mais qui n'était pas en paix.

Poutine avait-il espéré, avec le triomphe de Volodymyr Zelensky à l'élection présidentielle (avec 73 % des voix) contre Porochenko, chef de l'État sortant, un des leaders de Maïdan que le président russe exécrait, qu'une nouvelle donne se distribuerait ? Le nouvel élu n'avait pas d'expérience internationale ni d'appui politique à l'intérieur. Peut-être le maître du Kremlin avait-il imaginé que les autorités de Kiev seraient accommodantes et même disposées à conclure un nouveau pacte avec la Russie. Il a vite déchanté. Zelensky s'est montré ferme, indépendant et coriace, y compris avec les oligarques de son pays.

Au constat décevant d'une Ukraine farouche qui assumait de plus en plus ouvertement son ancrage européen et affirmait son désir de rejoindre l'OTAN, se sont ajoutées des occasions que Vladimir Poutine a aussitôt saisies. En août 2020, la réélection frauduleuse d'Alexandre Loukachenko, qui se maintenait à la tête de la Biélorussie depuis vingt-six ans, souleva l'indignation d'une large partie de la population de ce pays de dix millions d'habitants et indépendant depuis 1991. Des manifestations inédites par leur ampleur parcoururent les rues pour réclamer son départ, et des grèves se multiplièrent à l'automne. Face à la répression qui s'abattait sur l'opposition, la communauté internationale a édicté des sanctions contre la Biélorussie.

De plus en plus menacé, le toujours président de la Biélorussie, qui avait marqué jadis des velléités d'autonomie à l'égard de Moscou et qui avait même tenté de se rapprocher de l'Union européenne, s'est résolu en dernier ressort à faire appel à Vladimir Poutine. Trop heureux de l'aubaine, celui-ci lui a prodigué un soutien indéfectible. La coopération militaire s'est renforcée et des manœuvres ont eu lieu tout au long de l'année 2021, permettant le stationnement des forces russes et préparant en réalité l'invasion de l'Ukraine.

En septembre 2020, à l'autre bout de l'ancien empire soviétique, après plusieurs mois de tensions et d'escarmouches le long de la frontière, l'Azerbaïdjan déclenche un assaut terrestre sur le Haut-Karabakh que l'Arménie occupe depuis plus de trente ans grâce au bon vouloir russe. Loin de s'opposer à cette offensive, pourtant encouragée et appuyée par la Turquie, puissance rivale de la Russie dans cette région du Caucase, Vladimir Poutine laisse l'opération se déployer. Les Arméniens sont acculés et sollicitent un cessez-le-feu, consacré sous son égide par la signature d'un accord de fin des hostilités. L'Azerbaïdjan récupère les territoires entourant le Haut-Karabakh, d'où les armées arméniennes se retirent piteusement. Ce sont des forces de paix russes qui garantissent la bonne application du compromis. Coup double pour Moscou : le Kremlin satisfait les ambitions du président Aliev qui lui en est redevable ; il met sous sa protection l'Arménie, dont le Premier ministre, Nikol Pachinian, avait affiché des intentions de libéralisation de son économie, de lutte contre la corruption et d'ouverture européenne qui inquiétaient son éminent voisin.

Enfin, au début de l'année 2022 en Asie centrale, des manifestations provoquées par la hausse soudaine du prix du carburant secouent le Kazakhstan. Elles tournent à l'émeute, dans ce pays de dix-huit millions d'habitants, riche en matières premières (notamment en pétrole et en uranium) et dont la croissance fut impressionnante ces dernières années. Elles conduisent le président à déclarer l'état d'urgence sur tout le territoire et à lancer un appel à la Russie. Au nom du traité d'amitié entre les deux pays, celle-ci décide d'envoyer des troupes pour réprimer le soulèvement. C'est une nouvelle victoire, sans un coup de feu, pour Vladimir Poutine : le Kazakhstan est pour lui un point stratégique et symbolique, avec ses 20 % de Russes, ses matières premières abondantes et son cosmodrome de Baïkonour. En outre l'intervention de la Russie met un terme aux tentatives de séduction de la Chine et de la Turquie à l'égard de cette ancienne république soviétique.

Le retour de l'URSS

Ainsi, en quelques mois, Poutine peut-il s'enorgueillir d'avoir reconstitué une large part de l'ex-URSS : la Géorgie est paralysée par un conflit gelé avec deux républiques séparatistes qui attendent leur rattachement à Moscou (l'Abkhazie et l'Ossétie du Sud) ; la Biélorussie est sous contrôle avec un président devenu vassal qui accepte désormais la présence de missiles nucléaires russes sur son propre sol ; l'Azerbaïdjan et l'Arménie sont neutralisés ; le Kazakhstan est remis sous tutelle. Il ne lui reste qu'à s'occuper de l'Ukraine.

Au début de l'année 2022, la Russie masse ses troupes à la frontière (pas moins de cent mille soldats). Elle prétend que ces manœuvres sont une réponse aux exercices de l'OTAN et aux provocations ukrainiennes. Elle demande la signature d'un traité aux termes duquel l'OTAN renoncerait à accueillir l'Ukraine et la Géorgie, et à déployer des armes sur d'autres territoires dans l'est de l'Europe. Le secrétaire général de l'OTAN rappelle alors que les questions d'adhésion relèvent uniquement de la responsabilité des alliés et des pays candidats. Multipliant les échanges avec ses homologues européens, notamment Olaf Scholz et Emmanuel Macron, pour créer l'illusion d'une possible médiation, Vladimir Poutine accélère la préparation de son offensive et commet l'irréparable en reconnaissant l'indépendance de Donetsk et de Lougansk. Avec une méthode toute soviétique, il répond à l'appel de ces républiques supposément agressées par l'Ukraine pour se porter à leur secours, comme s'il voulait rester dans la fiction du respect du droit international. Le 24 février, sous le nom d'« opération spéciale », il lance une offensive armée de grande ampleur contre l'Ukraine, pays souverain de quarante millions d'habitants, dont la Russie avait pourtant reconnu les frontières et qui avait pour seul tort de vouloir se rapprocher de l'Union européenne. Il déploie pour ce faire toute la panoplie utilisée dans une guerre totale : déploiements de chars, artillerie lourde, multiplication des attaques aériennes, mobilisation de conscrits et de professionnels, participation des bâtiments de la marine, sans oublier les missiles à longue portée et de haute précision.

Par un étrange retour vers le passé, les images de la guerre d'Ukraine évoquent celles du dernier conflit mondial : villes anéanties, cohortes de réfugiés hagards, charniers de civils, population terrée dans les caves. Et les mêmes exactions accompagnent les combats : viols en série, tortures et exécutions sommaires. Comment les Européens auraient-ils la naïveté de penser que ce retour de la guerre épargnera demain son propre sol ? Les pays baltes, la Finlande, la Pologne perçoivent désormais la menace.

Poutine escomptait un succès rapide et la mise en place subséquente d'un régime fantoche à sa dévotion à Kiev. Il a dû reculer, regrouper ses forces à l'est et avancer le plus loin possible sur la côte de la mer Noire pour établir un corridor qui irait de Marioupol jusqu'à la Moldavie en passant par le grand port d'Odessa, tout en clamant que cette tactique était prévue de longue main. La réaction du peuple ukrainien l'a pris au dépourvu, tout comme la fermeté des démocraties qui usent de tous les

161

moyens possibles, hormis l'intervention directe, pour contrer ses plans.

Fort de sa supériorité numérique et matérielle, Poutine peut encore gagner la partie qu'il a engagée. Le Donbass est déjà entièrement conquis, son armée avance vers le port d'Odessa, désormais paralysé. Son but est de priver l'Ukraine de tout accès à la mer et de reconquérir son littoral de la mer Noire. Mais la victoire russe n'est pas assurée : les Ukrainiens résistent et reçoivent désormais les armements lourds qui leur faisaient défaut. Le poids de la guerre se fait sentir en Russie, les sanctions économiques affaiblissent le pays, les pertes humaines s'accumulent et ses capacités militaires sont entamées. Le régime lui-même n'est pas à l'abri d'une réaction interne qui le ferait vaciller, aussi veille-t-il à contrôler l'information, à réprimer toutes les oppositions même les plus ténues et à imposer une main de fer sur les oligarques comme sur l'appareil militaire.

Dans ces conditions, la solidarité européenne à l'égard de l'Ukraine n'est pas seulement une question humanitaire ou un impératif politique qui nous oblige à soutenir les combattants de la liberté. Elle est stratégique. Une victoire de Vladimir Poutine, même sur la base d'un cessez-le-feu qui enregistrerait les gains territoriaux de son armée, l'inciterait à rééditer ailleurs son agression, puisqu'il considère – il n'a cessé de le répéter – que la Russie doit retrouver sa grandeur passée. C'est-à-dire, pour lui, s'assurer le contrôle politique et militaire des pays qui bordent sa frontière occidentale, comme l'ont voulu avant lui les tsars, puis les dirigeants soviétiques.

Pour éviter une guerre future, l'Europe et plus largement l'Alliance atlantique doivent être prêtes à infliger des dommages élevés à la Russie pour que l'agression lui coûte cher – très cher –, faute de quoi elle recommencera, inévitablement. Que se passerait-il si l'autocrate russe, après avoir annexé l'Ukraine, se mettait en tête de pénétrer dans un pays balte, de récupérer la Moldavie, ou de déstabiliser ou d'atteindre une partie des intérêts de la Finlande, qui vient de demander son adhésion à l'OTAN ? Nous serions contraints, aux termes de l'article 5 du traité de l'Atlantique Nord, de voler à leur secours en déployant des forces conventionnelles sur place. Ce serait, pour reprendre les mots de la diplomatie russe, « une nouvelle guerre mondiale ». Volodymyr Zelensky nous l'a rappelé : en défendant les Ukrainiens, nous défendons nos valeurs mais surtout notre propre sécurité.

Quelle que soit l'issue du conflit, les Européens viennent de comprendre, avec autant de stupeur que d'effroi, que la guerre redevient possible sur le continent, avec son cortège de violences, de massacres et d'angoisse collective. L'OTAN, récemment décrite comme dépassée ou en « mort cérébrale », retrouve sa place et son rôle. Dans le cadre de l'Alliance, les pays de l'Union devront réviser en profondeur leur stratégie de défense. Ils ne peuvent s'en remettre seulement au soutien américain ou à la dissuasion nucléaire. En cas de malheur, ils doivent être capables de résister à une invasion à l'est, c'est-à-dire disposer d'un outil militaire complet, susceptible d'affronter, sur terre, sur mer et dans les airs, une force nombreuse et bien équipée. Ce qui suppose de pouvoir contrer les nouvelles armes (balistiques mais aussi technologiques) dont l'efficacité a été démontrée sur le terrain ukrainien, notamment les drones qui franchissent facilement les défenses et peuvent infliger des dommages sévères aux troupes déployées au sol, ou bien les missiles à grande vitesse et à longue portée que la Russie commence à développer et à exhiber. Personne ne souhaite un tel affrontement. Mais c'est la faiblesse peureuse qui exposerait l'Europe à une guerre, et non sa force potentielle qui reste le seul moyen de dissuader l'adversaire.

Ce changement de conception est d'autant plus nécessaire que la guerre n'a pas entraîné une réaction unanime de la communauté internationale. Plusieurs grands pays ont refusé de condamner l'agression, la Chine et l'Inde au premier chef, des États comme Israël, mais aussi le Brésil et près de la moitié du continent africain, qui tiennent à conserver des liens avec la Russie, qui s'inquiètent à ce point de leur approvisionnement en céréales qu'ils ont préféré se mettre à l'écart. Même le pape n'a pas franchement réprouvé Vladimir Poutine, mais simplement la guerre. Nombre de dirigeants souhaitent surtout l'arrêt rapide d'un conflit qui bouscule l'économie mondiale et renchérit brutalement le prix des matières premières. Les uns souhaitent sincèrement aider l'Ukraine mais les autres se résigneraient sans peine à une issue favorable à la Russie.

L'Europe est face à son destin. Elle sait désormais que sa puissance économique ne peut suffire à assurer sa prospérité et encore moins sa sécurité. Incertaine sur la garantie d'une solidarité sans faille des États-Unis, elle doit se préparer à exister par elle-même, ce qui suppose un accroissement sensible des budgets militaires et la diffusion dans sa population d'un esprit de défense sans lequel il n'y a ni honneur, ni paix.

L'été meurtrier

Au moment où je termine ce récit des dix années qui ont bouleversé notre monde, l'été 2022 vient en quelque sorte lui apporter une confirmation dramatique. Sur tous les points de conflits que j'ai pu décrire et qui peuvent dégénérer, les tensions ont franchi une étape supplémentaire.

La visite à Taïwan de Nancy Pelosi, la présidente américaine de la Chambre des représentants, a servi de prétexte à l'armée chinoise pour effectuer un impressionnant exercice militaire consistant à simuler un blocus de l'île. La Chine a ignoré la ligne médiane qui, dans le détroit de Formose, sépare la Chine continentale de Taïwan. Elle l'a pour longtemps effacée. Cette répétition générale laisse penser que la Chine disposera avant 2027 des moyens nécessaires à une invasion de Taïwan. Les autorités françaises, qui sont restées bien silencieuses face à ce débordement – sans doute pour ne fâcher personne –, auraient pu rappeler que si nous ne reconnaissons qu'une seule Chine, nous n'accepterons jamais l'annexion par la force d'une île sur laquelle la démocratie et le pluralisme sont installés depuis plus de trente ans.

Pendant cet épisode déjà éminemment périlleux, la Russie a inlassablement mené ses bombardements en Ukraine, et les affrontements autour de Zaporijia, la plus grande centrale nucléaire d'Europe située dans le sud du pays, font monter d'un cran le risque de déclencher une catastrophe comparable à celle de Tchernobyl. À l'est, la pression sur le Donbass s'est encore accentuée, provoquant l'évacuation de la quasi-totalité de la population civile dans les zones encore contrôlées par les forces ukrainiennes. Rien ne laisse donc présager une issue rapide à la guerre.

Au Moyen-Orient, l'Iran poursuit inexorablement la marche qui peut prochainement conduire cet État à disposer de l'arme nucléaire. Il se déclare prêt à revenir à la table des négociations pour signer un nouvel accord, alors même que les bases du compromis ont été largement chamboulées depuis qu'il a été déchiré par Donald Trump en 2018 et que l'Iran se soustrait aux obligations de l'AIEA. Israël fait tout pour enrayer ce processus et menace de réagir si, comme c'est probable, Téhéran continue à procéder à l'enrichissement de son uranium au niveau le plus élevé. Dans le même temps, à la suite des attaques du Jihad islamique, clairement soutenu par l'Iran, l'État hébreu a répondu sans guère de retenue à Gaza et éliminé les dirigeants militaires de cette organisation. L'Égypte a bien tenté une médiation car les pays arabes ont tout à redouter de cette escalade. Mais Israël entend pousser jusqu'au bout son avantage, dès lors que le Hamas ne s'est pas joint à l'offensive.

Quant à la Turquie, qui se prépare à intervenir au nord de la Syrie contre les Kurdes, elle a espéré convaincre l'Iran et la Russie de la laisser faire. Le premier n'a rien dit, la seconde n'a rien promis mais n'a rien interdit, d'autant que le président Erdogan lui sert d'intermédiaire pour engager, le jour venu, une éventuelle négociation avec l'Ukraine et pour garder la maîtrise du conflit dans le Caucase entre l'Azerbaïdjan et l'Arménie. Les premiers tirs déclenchés au milieu du mois d'août ont déjà fait plusieurs morts du côté kurde.

Au cours de cet été décidément brûlant, le terrorisme islamiste a certes perdu un de ses chefs, éliminé en plein cœur de Kaboul malgré la protection des talibans, mais la relève est déjà assurée pour la direction d'Al-Qaïda, laquelle n'est plus centralisée autour d'un noyau mais instrumentalise des satellites plus ou moins fidèles et évolue sur un grand nombre de terrains. Au Mali, ce cartel terroriste progresse, jour après jour, vers Bamako, la capitale. Au Burkina Faso et au Niger, les victimes civiles s'ajoutent aux pertes militaires pour effrayer les peuples concernés. Cette lèpre se répand désormais au Bénin comme au Cameroun, et même au Nigeria, le pays le plus peuplé d'Afrique, où l'insécurité s'est étendue dans tout le pays.

Enfin, le désordre économique a fait resurgir le spectre de la récession aux États-Unis sans que l'inflation se ralentisse, la perspective d'une crise de la dette en Europe surtout si la croissance venait à s'effondrer faute de ressources énergétiques suffisantes, comme la crainte d'une famine dans les pays du Sud. Et le blé ukrainien, pour partie libéré, sera d'un faible apport.

Et comment oublier que l'été 2022 fut aussi celui de la sécheresse, des incendies et des pénuries d'eau, faisant de la question climatique la préoccupation dominante des opinions publiques alors même que la Chine et les États-Unis viennent de suspendre leur coopération dans ce domaine majeur et que les appels à la sobriété restent sans écho plutôt que d'être accompagnés par des mesures courageuses de la part des États ?

Bref, en quelques semaines, tous les maux de la planète, toutes les crises qui la déchirent, toutes les tempêtes qui la secouent sont apparus au grand jour comme si les dangers s'étaient conjugués les uns avec les autres pour nous convaincre que nous sommes entrés dans un monde où l'addition des périls peut délibérément ou malencontreusement déboucher sur un conflit mondial. En avons-nous suffisamment conscience ? Mesurons-nous réellement le risque d'un embrasement général ? Y sommes-nous préparés ? Pourtant la première expression du courage, c'est la lucidité.

SECONDE PARTIE

Agir

Introduction

Les démocraties, depuis l'effondrement du système soviétique, s'étaient convaincues que, leurs
valeurs ayant triomphé, celles-ci ne méritaient plus
d'être entretenues ni même défendues tant elles
paraissaient épouser l'évidence. Elles avaient parié
sur l'ouverture des frontières, la multiplication des
échanges, la croissance plus ou moins partagée, pour
faire converger les systèmes politiques, comme si le
marché était, si je puis dire, la première marche vers
le pluralisme. Elles avaient foi dans la liberté individuelle et l'aspiration à l'émancipation pour éteindre
les passions religieuses ou les nostalgies identitaires,
comme si le fanatisme et le nationalisme étaient
solubles dans le capitalisme. Elles ne concevaient
la puissance que mesurée en taux de PIB, en parts
de marché et en rendements comparatifs, comme
si les frustrations ou les ambitions ne conduisaient
pas les peuples animés par des dirigeants enfiévrés à
prendre les armes ou à tout le moins menacer de les
utiliser. À force de nier tout ce qui n'avait pas de

171

prix, les démocraties avaient oublié tout ce qui ne s'achète ni ne se vend, c'est-à-dire la fierté mais aussi l'hostilité, le cœur comme la rancœur.

À la tête du monde libre, les États-Unis avaient cru légitime d'exercer leur force pour achever de convaincre les derniers récalcitrants qu'il n'y avait pas d'autre modèle possible que le leur et qu'il était possible d'exporter la démocratie comme une marchandise faite pour être consommée immédiatement et distribuée largement, à défaut d'être désirée et admise.

Ils ont mis du temps à comprendre qu'ils n'en tireraient ni avantage ni gloire et qu'au contraire ils soulevaient, par leur obstination dont nul ne saluait la vertu, un mouvement de contestation croissante à l'égard d'une aussi vaine et envahissante prétention. Il aura fallu l'attentat monstrueux de New York, le 11 septembre 2001, pour que l'Amérique et les Européens réalisent que l'hydre terroriste islamiste pouvait frapper partout, y compris sur le sol de la première puissance militaire de la planète. Il aura fallu l'intervention aussi infondée qu'inconséquente de George W. Bush en Irak pour qu'ils constatent que renverser un régime, aussi dictatorial soit-il, ne suffit pas à établir la paix et à faire triompher les valeurs universelles. Pire, une telle opération a pu provoquer un désordre et une anarchie que des groupes terroristes ont su utiliser pour alimenter le djihad et porter leur rêve de califat. L'expérience, pourtant, fut reproduite avec le même fiasco en Libye en 2011, avant de prendre un tour encore plus spectaculaire avec la débâcle exhibée aux yeux du monde du retrait d'Afghanistan après vingt ans de présence des forces de l'OTAN.

Pendant ce temps-là, la Chine progressait à grandes enjambées dans une mondialisation dont elle tirait l'avantage principal en captant les technologies, inondant l'Occident de ses produits, et en déversant ses investissements sur tous les continents, sans rien changer de son régime politique mais en avançant plus franchement ses pions sur l'échiquier mondial, bien au-delà de l'Asie.

Le calcul selon lequel l'économie fait la politique, le commerce inocule la démocratie et la multiplicité des échanges produit la diversité des opinions tombait de moins en moins juste. Et tandis que l'Europe croyait assurer sa protection en ouvrant son marché, en confortant sa monnaie et en étendant son espace politique toujours plus à l'est, la Russie, avec Vladimir Poutine, s'était donné pour but de rétablir ce qui s'était effondré – à savoir l'URSS, sans le socialisme – et de reprendre l'offensive contre les États-Unis, accusés d'être la cause de tous les maux de la planète et d'abord de sa propre humiliation. Le Kremlin y ajoutait une dimension civilisationnelle en dénonçant les démocraties pour leur laxisme et leurs mœurs décadentes. La Russie pouvait d'autant plus développer cette ambition qu'elle scellait une alliance dans la durée avec la Chine et qu'elle se déployait dans un espace de moins en moins régulé par le droit et les institutions internationales et dont les divisions s'étaient exacerbées par la résurgence de nouveaux empires. Le creusement des inégalités, dont le continent africain, malgré ses progrès, demeure le symbole, offrait aussi un terreau fertile pour les manœuvres et les arrangements de toute nature, dont la Chine sur le volet économique et la Russie sur le plan politique avaient pris l'initiative, sans oublier la Turquie et les monarchies du Golfe sur le plan religieux.

À ce désordre international s'est ajouté le malaise dans le cœur même des sociétés occidentales. Les démocraties, rongées de l'intérieur par le populisme, doutent de leur capacité à faire prévaloir un monde à leur image. Tentées par un repli contraire à leurs intérêts ou par un enfermement contradictoire avec leurs principes, elles hésitent sur la conduite à tenir : continuer à agiter le drapeau du multilatéralisme et de la défense des biens communs pour être fidèles à leurs valeurs, ou se bunkériser dans une identité devenue minoritaire à l'échelle de la planète pour vivre, comme des nations vieillissantes, de leur rente économique et des avantages de leur modèle social !

C'était sans compter sur la résurgence de l'histoire. Le retour de la guerre en Europe vient bousculer les certitudes comme les habitudes et hâter la prise de conscience comme la prise de décision. Impossible d'ériger des murs aussi factices que la ligne Maginot. Impensable d'entrer dans un affrontement mondial avec des puissances nucléaires. Inimaginable d'attendre que la tempête s'apaise. S'unir est la seule réponse qui vaille.

L'existence d'une menace induit-elle mécaniquement l'exigence d'une cohésion ? Rien n'est sûr, avec des opinions publiques rétives aux engagements extérieurs. Elle l'encourage mais elle ne la produit pas. On sait pourtant qu'elle est impérative. Sauf à entraîner le déclin des démocraties, et leur défaite à terme. La sécurité du continent, l'urgence climatique, les divisions sociales et ethniques au sein des sociétés, autant de défis qui seront impossibles à surmonter sans l'affirmation d'un esprit collectif. L'ère de l'individualisme et du libéralisme touche à sa fin ; le raidissement national mène à l'impasse et à la guerre, la fuite en avant protectionniste conduit à la régression. Alors jamais l'idée européenne et la solidarité mondiale n'ont paru à ce point se justifier. Telle est la notion qui domine les cinq grandes leçons que la France et l'Europe doivent tirer de la nouvelle donne planétaire.

Repenser notre défense

Ces dix années qui ont changé le monde marquent l'irruption de la tragédie dans nos vies quotidiennes – les attentats, la pandémie, les catastrophes, les crises et les conflits de toutes sortes. Le martyre du peuple ukrainien et l'exode de plusieurs millions de réfugiés en sont la dernière manifestation, laquelle témoigne de la violence des affrontements, avec la crainte de voir ces tensions dégénérer à l'échelle planétaire, sur fond de menace atomique.

La grande alliance des empires chinois et russe, la prolifération nucléaire en Iran et en Corée du Nord, la volonté d'hégémonie de la Turquie, la persistance de la menace islamiste, les foyers de tension en Asie, en Afrique et au Moyen-Orient, les cyberattaques, tous ces dangers obligent la France et l'Europe à une révision générale de leur stratégie de défense, surtout si les tendances isolationnistes venaient à l'emporter aux États-Unis. L'idée de la guerre, refoulée au lendemain de la chute du mur de Berlin, s'impose de nouveau.

L'Europe s'était construite sous une volonté de paix entre ses membres, elle doit aujourd'hui se préparer à faire face au pire, d'autant que la première menace émane désormais d'un pays voisin. C'est-à-dire qu'elle doit se doter d'un outil militaire capable de parer tous les risques d'agression. Elle ne peut plus s'en remettre à la seule protection américaine ; ce n'est pas qu'une question d'autonomie, c'est un principe de précaution. Qui sait ce que sera la détermination de notre principal allié dans les années à venir ? Voudra-t-il toujours porter secours à des pays d'un continent lointain ? Il l'a fait deux fois au siècle dernier et notre reconnaissance est sans égale à son égard. Sera-ce toujours le cas avec un président américain tenté de faire prévaloir le slogan « America First » et animé d'autres intentions que de porter assistance à l'Europe ? Déjà, la présence de notre grand allié sur le sol européen s'est rétractée : il y avait trois cent mille militaires américains en Europe en 1991, à peine cent mille aujourd'hui.

L'invasion de l'Ukraine et l'attitude russe ont réactivé le rôle de l'OTAN. Mais les rapports internes à l'Alliance atlantique méritent d'être repensés, pour qu'elle puisse s'appuyer sur un pilier européen robuste. Celui-ci doit se situer au sein du commandement intégré de l'OTAN, dont il serait irresponsable pour la France de se retirer. Ceux qui le proclament doivent savoir qu'ils exposeraient notre pays à se couper de l'ensemble de nos partenaires européens, au moment où la Finlande et la Suède frappent à la porte de l'Alliance. Ils doivent être conscients que cette sortie serait une victoire russe sans que notre indépendance s'en trouve rehaussée.

Mais la voix de l'Europe ne pourra se faire entendre que si ses choix en matière de défense sont à la hauteur de la pression qui pèse sur elle et si sa doctrine intègre le risque d'un conflit ouvert sur son propre sol. Ce qui suppose des ressources budgétaires supplémentaires et des capacités militaires plus efficaces qu'aujourd'hui. Il s'agit de mettre sur pied des forces renouvelées et accrues, comprenant un arsenal complet, avec bataillons de chars modernes, aviation puissante, système de drones, artillerie à longue portée, missiles hypersoniques, sans oublier le domaine spatial et le cyber.

Les vingt-sept doivent aussi resserrer leurs liens avec la Grande-Bretagne, dont le budget de la défense est l'un des plus importants du continent. L'Europe doit encore participer à une action coordonnée dans la zone Pacifique pour équilibrer la puissance montante de la Chine. Le fameux pacte Aukus, signé en septembre 2021, n'est pas seulement une mauvaise affaire pour la France avec l'annulation d'un contrat de sous-marins de plusieurs milliards, signé sous ma présidence. C'est aussi une entorse grave à la solidarité occidentale car cette alliance rétrécie (Royaume-Uni, États-Unis, Australie) occulte le rôle actif de bon nombre de pays européens en Asie.

Une défense européenne digne de ce nom appelle un profond changement de doctrine en Allemagne.

Celle-ci vient de consentir, sous la pression, à moderniser enfin son armée, à élever son effort budgétaire, et même à envoyer, non sans réticences ni débats au sein de la coalition gouvernementale, des armes en Ukraine. Ce sont des actes importants qui doivent être salués et non pas redoutés ; l'Allemagne est plus que notre alliée, elle est notre amie. Mais elle est encore trop prudente dans ses choix diplomatiques, trop dépendante, aussi bien pour son énergie (vis-à-vis de la Russie) que pour sa sécurité (vis-à-vis des États-Unis). L'adhésion prochaine à l'OTAN de la Finlande avec ses 1 300 kilomètres de frontière avec la Russie, et de la Suède si longtemps attachée à sa neutralité, marque des revirements spectaculaires et traduit une volonté d'établir un rapport de force avec leur immense voisin, sans rien craindre de sa réaction. Vladimir Poutine avait agité le spectre de mesures de rétorsion. Il a simplement déclaré que cette « manœuvre de l'OTAN » était un acte hostile, sans réagir plus avant. À la suite du sommet de l'OTAN consacré à ces deux adhésions, son ministre des Affaires étrangères Sergueï Lavrov a ajouté que le rideau de fer venait de tomber, reprenant le vocabulaire de la guerre froide, comme pour signifier que la Russie avait pris la mesure de la cohésion du camp occidental.

Quant à la Turquie, qui avait acquis en 2019 des missiles russes incompatibles avec les règles de l'OTAN, elle doit lever ses ambiguïtés. Cette clarification, si elle n'est pas spontanée de la part d'Erdogan, devra être sollicitée par ses alliés, car l'automaticité des engagements mutuels ne supporte pas les straté-gies obliques. Le chantage exercé par Erdogan sur l'entrée dans l'OTAN de nouveaux candidats est inadmissible, tout comme sa mainmise sur Chypre ou ses entreprises militaires au nord de la Syrie contre les Kurdes, dont je peux témoigner que la partici-pation à l'éradication de Daesh a été déterminante.

Dotée de l'arme nucléaire, entretenant l'armée la plus puissante de l'Union européenne, la France jouera un rôle central dans cette révision générale des politiques de défense. Elle aussi devra poursuivre la modernisation de ses équipements, tout en se coor-donnant au mieux avec ses partenaires, ce qui n'est pas dans la pratique de nos industries de défense. C'est particulièrement crucial pour le futur avion européen.

L'Europe, pour sa défense, doit avancer par elle-même en multipliant les coopérations, en regroupant ses achats militaires et en participant à des opéra-tions extérieures lorsque nous y sommes appelés et que des dangers même lointains nous concernent. Bref, en acceptant d'être une puissance politique, et donc militaire.

Construire l'Europe politique

La guerre en Ukraine a pris de court les Européens. Mais après un moment de sidération, l'Union a réagi comme il convenait. Elle a affirmé en quelques semaines ce qu'elle avait mis des années à admettre sans parvenir à une conclusion : la volonté de se défendre par elle-même et l'élargissement de l'OTAN à de nouveaux membres. Elle montre une incontestable mobilité et une impressionnante résilience dans cette crise. Toutefois, il lui manque toujours une doctrine qui mette au clair ses intentions, aussi bien qu'un cadre susceptible de donner une cohérence à sa politique. Faute de remplir ces conditions, elle ne dispose pas de l'autorité capable de peser sur le destin du monde.

Le « saut fédéral »

Pour jouer un rôle à la hauteur de son histoire et de son économie, pour continuer de promouvoir son modèle de développement, l'Union européenne doit parvenir, en matière de politique extérieure et de sécurité, à un « saut fédéral ».

Cette étape décisive suppose de régler au préalable plusieurs questions. D'abord, celle de sa « souveraineté ». Celle-ci est aujourd'hui limitée par la nécessité du lien transatlantique dont elle ne peut se défaire sauf à menacer son unité et à se priver d'une garantie précieuse. Au sein de cette alliance, elle doit désormais gagner son autonomie stratégique en intégrant ses forces sous un commandement commun. Aussi bien, elle doit définir sa vision du monde, proclamer ses objectifs et mener une diplomatie en conséquence.

Tous les États membres ne voudront pas, au moins dans un premier temps, se soumettre à cette action collective. Mais rien n'interdit d'avancer sans eux : tout dépendra des modalités adoptées. Aujourd'hui, la dispersion des compétences entre le Conseil européen, la Commission et le haut représentant pour les affaires étrangères nuit à l'élaboration d'une politique unique et à l'expression sur la scène mondiale d'une voix européenne audible et forte. Qui parle vraiment au nom de tous ? Et avec quels moyens ? Tout est dilué, délayé, dissous dans un langage qui ne produit jamais d'actes forts, sauf si certains États, de façon unilatérale, prennent des initiatives ; ce fut le cas de la France à plusieurs reprises. Non seulement la politique extérieure de l'Union n'est pas clairement arrêtée – hormis une « boussole stratégique » adoptée en mars 2022 –, mais elle n'est pas incarnée en une seule institution. Pour être mise en œuvre, elle suppose de surcroît l'unanimité des États, ce qui conduit à l'impuissance et à l'immobilisme.

La première étape de ce « saut fédéral » tient en deux décisions : instaurer le principe de la majorité qualifiée sur les sujets internationaux ; confier à une seule et même personnalité la représentation de l'Union européenne et la conduite de sa politique de sécurité, personnalité qui ne peut être, comme aujourd'hui, un simple membre de la Commission européenne. L'Union doit repenser ses institutions pour exister politiquement.

Le changement des traités est l'exercice le plus difficile qui soit. Il exige l'accord de tous les chefs d'État et de gouvernement et sa ratification par chacun des parlements des vingt-sept. Or, il y aura toujours au sein de l'Union des gouvernements qui s'y refuseront. D'ores et déjà, avant même de connaître la raison et l'intérêt d'une telle modification, treize pays ont fait connaître leur réserve – pour ne pas dire leur hostilité – à ce processus.

À rechercher l'unanimité sur une question aussi importante – la politique étrangère et de défense commune – l'Europe perdra un temps qu'elle n'a plus le loisir de laisser s'écouler. Pour aller vite, pour être certain d'atteindre l'objectif, il faut partir à moins nombreux. Cette Europe à plusieurs vitesses, ou à plusieurs cercles, est une idée française. Longtemps, beaucoup de nos partenaires s'en sont méfiés, notamment les Allemands, qui redoutaient de froisser les nouveaux entrants. Aujourd'hui cette thèse est davantage partagée. Chacun comprend que seul un cœur (ou noyau dur) de quelques pays peut parvenir à ce niveau d'intégration et d'action politique. Nul besoin, dès lors, de revoir les traités : selon les règles actuelles, onze États peuvent décider d'une « coopération renforcée » sans que les autres aient le droit de s'y opposer. Ainsi, à condition d'inspirer confiance, de n'exclure aucun pays membre et de ne prendre aucune décision sans en référer aux institutions européennes, l'Europe de la défense et de la diplomatie n'est plus une utopie lointaine. Rendue nécessaire par le nouveau désordre du monde, elle est à portée de main.

L'Europe de l'énergie

La souveraineté, tout autant, repose sur l'indépendance énergétique. L'Europe y est contrainte : la guerre en Ukraine l'a conduite à réduire ses achats d'énergies fossiles venues de Russie. Elle s'est fixé l'horizon de 2027 pour parvenir à l'autonomie ; ce sera plus rapide pour le pétrole que pour le gaz. Le mouvement est d'autant plus inéluctable que la Russie menace de décréter elle-même un arrêt de ses livraisons.

Avant cela, la Hongrie, appuyée par plusieurs pays de l'Est, fera tout pour bloquer les sanctions, faute de garantie sur le maintien de ses approvisionnements en pétrole. Aussi bien, la diversification est plus malaisée qu'on le croit. L'importation de gaz naturel liquéfié venant des États-Unis et de pays du Golfe offre une solution à court terme mais au prix d'un coût supplémentaire pour le consommateur et d'une dégradation du bilan carbone pour la planète. Il en est de même avec la réouverture des centrales au charbon pour compenser la réduction des achats de gaz à la Russie.

La vulnérabilité de l'Europe appelle donc une politique énergétique commune. Ce qui suppose d'accélérer la montée des renouvelables et d'inclure le nucléaire civil dans les « mix énergétiques » en leur consacrant des financements privilégiés. Là aussi, n'attendons pas et ne laissons pas les grandes entreprises énergétiques, notamment pétrolières, ruser avec les interdits ou continuer à investir dans des activités désormais disqualifiées en raison de leur impact climatique.

Il s'agit aussi d'introduire entre Européens une nouvelle solidarité. Les pays les moins dépendants au gaz russe (notamment ceux du Sud, dont la France) pourraient fournir des énergies de substitution à l'Allemagne et aux partenaires les plus exposés, à condition que ceux-ci consentent un assouplissement des règles budgétaires aux pays les plus endettés. Ça s'appelle la réciprocité !

L'impératif de la réindustrialisation

La souveraineté suppose enfin une industrie européenne capable de conjuguer compétitivité, innovation et localisation. Adossé à une dette commune contractée à des taux d'intérêt avantageux, le plan de relance européen peut y contribuer dans les domaines du numérique, de la santé et de la défense. Mais il convient de lui donner une plus grande ampleur (le montant pourrait être aisément doublé) et de simplifier ses modalités de répartition, surtout dans un contexte où le resserrement des politiques monétaires va réduire les liquidités disponibles pour la distribution des crédits bancaires, et où les États devront remettre de l'ordre dans leurs finances publiques pour limiter leur endettement. Non seulement l'austérité serait contraire à la croissance, mais elle porterait un rude coup à la sécurité de l'Europe et à ses engagements climatiques.

L'investissement privé peut s'en trouver découragé au moment où les consommateurs vont subir une amputation de leur pouvoir d'achat avec des prix de l'énergie et des produits alimentaires durablement élevés. Ainsi, c'est l'Union européenne qui a la clé : elle doit relayer les États qui ne disposent plus de marge de manœuvre budgétaire après une crise sanitaire qui a fait chavirer leurs comptes, et qui sont encore appelés aujourd'hui à des dépenses supplémentaires pour préserver une cohésion sociale minée par l'inflation. La souveraineté exige de moins dépendre de l'extérieur, mais de là à prétendre que l'Europe, et a fortiori la France, va désormais produire tous nos médicaments, tous nos logiciels, tous nos produits alimentaires, c'est tout simplement impossible. Et je suggère de tenir un discours de vérité plutôt que d'entretenir cette illusion.

À tout cela s'ajoute une dernière question : comment concilier le besoin de souveraineté et la perspective d'un nouvel élargissement de l'Europe ? La liste est déjà longue des pays candidats à l'adhésion : l'Albanie, la Macédoine du Nord, la Serbie, le Monténégro, la Bosnie-Herzégovine, le Kosovo, bref l'ensemble des pays balkaniques. Ils font d'ores et déjà valoir que seul le cadre européen leur permettrait de vivre ensemble et de faire pièce à l'influence de la Russie, voire de la Chine. J'entends cet argument : les mettre hors-jeu les conduirait, un jour, à jouer contre nous. Mais en les accueillant, nous courons le risque de la paralysie. En outre, leur possible appartenance à l'Union fera ressortir le lourd dossier de candidature de la Turquie, pour l'instant remisé pour cause de manquement aux droits humains.

L'agression russe a justifié que l'Ukraine et la Moldavie s'ajoutent à la file d'attente. D'autres options que l'adhésion sont possibles pour les arrimer à l'Europe : le renforcement des accords d'association, une confédération européenne ou, sous un autre nom, une communauté politique européenne qui les intégrerait dans les lieux de la décision, sans les rendre pour autant membres de plein exercice de l'Union. C'est la proposition d'Emmanuel Macron. La solution qui a été trouvée en accordant à l'Ukraine le statut de candidat donne une victoire symbolique au président Zelensky et acte, de manière irréversible, l'appartenance de son pays à l'Europe sans rien modifier de substantiel dans les acquis de l'accord d'association, sauf à considérer que cette reconnaissance est une forme d'adhésion indirecte à l'OTAN.

Comment avancer, non plus à vingt-sept mais à trente-cinq voire à quarante pays ? La résolution de cette équation se trouve dans la définition de cercles concentriques, où le degré de participation varie selon les rythmes de développement et les situations géographiques. Cette formule ne répartit pas les pays en plusieurs classes. Chacun appartient au même ensemble, peut progresser selon ses capacités et sauter les étapes, avec des droits sur certains sujets, notamment politiques, à l'égal des autres. Elle fournit néanmoins les moyens de progresser plus vite pour les États volontaires.

Admettons une fois pour toutes qu'il n'est pas possible pour l'Europe d'atteindre tous ses objectifs à la fois. L'élargissement ne pourra se faire que si une avant-garde se constitue et agit sans attendre.

Réinventer le multilatéralisme

La polarisation du monde, la multiplication des tensions, la montée des nationalismes, le morcellement des intérêts ont porté un coup sérieux à la résolution ou à l'atténuation des conflits par les institutions internationales.

Le système onusien avait déjà été éprouvé au temps de la guerre froide mais il s'était rétabli avec la disparition des blocs et la prédominance des démocraties. L'irruption des nouveaux empires sur la scène internationale l'a de nouveau affaibli. Aujourd'hui, il ressemble de plus en plus à la Société des Nations (SDN), dont l'échec avait justifié la création d'une nouvelle organisation au lendemain de la Seconde Guerre mondiale.

L'usage répété de leur droit de veto par la Russie, la Chine et même les États-Unis a conduit au blocage du Conseil de sécurité. Depuis des années, il empêche toute initiative diplomatique sérieuse de la part de l'ONU. L'institution internationale vouée à la paix n'a rien pu faire pour mettre un terme à des conflits interminables, en Palestine, en Syrie ou au Sahara occidental. Le droit de veto protège de toute sanction certains pays qui violent impunément le droit international. Le secrétaire général de l'ONU, António Guterres, un homme remarquable et courageux, en est réduit à exercer un magistère moral qui le conduit à rédiger régulièrement des communiqués de déploration face à des actes contraires à la Charte des Nations unies, sans même pouvoir jouer un rôle de médiation, dès lors qu'un membre permanent du Conseil de sécurité s'y oppose. Il alerte la communauté internationale sur l'imminence des catastrophes climatiques, alimentaires, voire nucléaires. Mais il révèle, à dessein, son impuissance.

L'ONU dépend des contributions des États et, au temps de Donald Trump, l'administration américaine avait réduit sa participation, quand la Chine s'était aussitôt déclarée prête à augmenter la sienne tant elle a, depuis plusieurs années, investi dans les institutions internationales en plaçant ses ressortissants à des postes clés. L'ONU est doublement sous tutelle, financière et politique.

Aussi n'est-elle autorisée à intervenir que lorsque des situations humanitaires l'exigent, dans le cadre de conflits localisés et endémiques, comme au Soudan, en RDC, au Mali, en Centrafrique. Elle y consacre des sommes importantes et y déploie de nombreux effectifs de casques bleus sans que l'efficacité de ces missions soit démontrée, faute de mandat clair, de formation des personnels et d'autorité de leur commandement. Ces opérations évitent néanmoins que certaines situations ne dégénèrent et elles facilitent l'accueil de ces exilés de la faim ou des guerres par le Haut-Commissariat aux réfugiés. Cette agence des Nations unies a été particulièrement précieuse pour venir en aide aux populations fuyant la Syrie, l'Afghanistan, l'Éthiopie et aujourd'hui l'Ukraine. Ainsi, si l'ONU n'est plus en mesure de prévenir ou de régler des conflits, elle est encore l'institution qui prend en charge tous les dommages humains qu'ils provoquent.

De même, les institutions spécialisées, notamment le FMI, la Banque mondiale, le FIDA pour l'agriculture, l'OIT pour le travail, l'OMS pour la santé et l'UNESCO pour l'éducation et la culture, continuent à faire vivre le multilatéralisme sans être encore trop entravées par les rivalités entre puissances.

Là se situe l'avenir du système international. Pour garder sa légitimité et son utilité, il doit concentrer ses efforts sur les enjeux essentiels : la gestion des biens communs, la préservation du patrimoine de l'humanité, la santé des populations et le soutien aux plus fragiles.

La question climatique lui offre, par son intensité croissante même, l'occasion de se refonder autour d'un pacte mondial. Au-delà des affrontements, du jeu des influences et des différends entre États, un seul sujet unit tous les peuples de la planète et toutes les nations, même les plus farouches ou les plus repliées : la menace d'un réchauffement inexorable qui peut les emporter tous.

Ainsi, une régulation mondiale avec la participation de tous les États dans une seule et même organisation s'imposerait pour mettre en œuvre les engagements pris dans les conférences climatiques. Les pays du Sud y trouveraient l'occasion de faire prévaloir leurs intérêts, ceux du Nord seraient appelés à une solidarité plus effective et tous seraient astreints à l'évaluation régulière de leurs promesses en termes d'émissions de CO_2.

Enfin, l'ensemble des institutions internationales seraient mobilisées autour de cet objectif dans le cadre de leurs différentes interventions. Telle me paraît la seule réforme envisageable et utile du système des Nations unies. Laisser croire qu'il sera possible de supprimer le droit de veto des membres permanents du Conseil de sécurité relève de l'illusion car une telle proposition serait immédiatement empêchée par l'une des puissances du monde détentrice de ce droit-là. Quant à l'idée d'européaniser le siège de la France au Conseil de sécurité, elle n'apparaît ni réaliste dès lors que l'Europe politique demeure une perspective lointaine, ni souhaitable dès lors que la France dispose de la force de dissuasion et qu'elle n'entend pas en partager la décision.

L'affaiblissement du système international accroît d'autant la responsabilité des États. Les démocraties ne peuvent plus s'en remettre seulement à l'ONU et aux autres institutions. Elles ne peuvent rester les bras croisés devant la montée des périls qui affectent l'équilibre du monde. Les guerres ont des causes immédiates : le désir de domination, les querelles de frontières, le nationalisme agressif, le terrorisme. Elles ont aussi des origines plus lointaines : la misère, les inégalités sociales, les trafics de toutes sortes, les bouleversements climatiques. Limiter les risques d'affrontements, c'est agir sur ces facteurs globaux.

Aussi, pour assurer la stabilité du globe et réduire les menaces qui pèsent sur ses habitants, les Européens doivent participer beaucoup plus activement au développement des pays du Sud par des aides directes aux États, des prêts pour financer les équipements publics et des co-investissements lancés avec des partenaires locaux pour favoriser la création d'activités innovantes. Parallèlement les liens culturels doivent être resserrés, par exemple en accueillant mieux les étudiants, de manière à favoriser la formation des élites.

Les pénuries provoquées par la guerre en Ukraine risquent de dégénérer en famine dans bon nombre de régions du monde. Face à un tel danger, une accélération des plans de conversion des terres agricoles est impérieuse et un soutien aux agricultures vivrières indispensable.

L'Afrique est souvent présentée comme un continent plein d'avenir pour les richesses humaines et notamment sa jeunesse, pour les matières premières dont elle regorge, pour ses gisements de croissance et ses atouts pour réussir sa transition énergétique.

Mais la vigueur de sa démographie (plus de quatre enfants par femme) est davantage un fardeau qu'un atout puisque le nombre d'Africains doublera d'ici à 2050 (avec près de deux milliards et demi d'habitants). D'où l'importance d'investir dans l'éducation des jeunes et dans l'émancipation des femmes.

Car cette augmentation de la population, pour être soutenable, suppose d'atteindre une progression du PIB de plus de 5 % par an pour maintenir un niveau de vie déjà très bas et pour dégager une épargne susceptible de financer des investissements. Au-delà de l'accueil dans des conditions décentes des nouvelles générations, la maîtrise de la natalité est indispensable pour atténuer le réchauffement climatique et éviter l'épuisement des ressources. En effet, les taux de fécondité actuels rendent presque inaccessible pour certains États la tâche d'adapter leur société aux changements climatiques et inaccessibles les efforts que leurs pays doivent consentir pour assurer les besoins élémentaires de leur jeunesse. La démographie est une science dont les chiffres sont incontestables. Nous savons trente ans à l'avance ce que seront les populations du globe et leur répartition par âge et par continent. Nous sommes près de huit milliards sur terre aujourd'hui. Nous serons dix milliards en 2050, dont le quart en Afrique.

Si rien de considérable n'est engagé pour un développement solidaire et une diffusion des progrès technologiques avec les populations africaines, et si rien de conséquent n'est entrepris par les pays concernés pour diminuer drastiquement le taux de fécondité, alors les mouvements de population seront à la hauteur des besoins non satisfaits localement et des dégâts du dérèglement climatique, et nos sociétés n'y résisteront pas.

L'avenir de l'Afrique est devenu une question éminemment européenne. Au-delà du soutien à assurer et de la dette à acquitter à l'égard d'un continent qui a subi le joug colonial, il y va de notre propre destin. Sa stabilité est la condition de notre sécurité. Son développement est la meilleure façon de limiter les mouvements migratoires. Sa résistance à l'islamisme et au djihadisme, notre première défense. Son engagement pour la reforestation et la préservation de la biodiversité, notre oxygène !

Ainsi l'Europe doit-elle élever le niveau et la forme de ses interventions en Afrique. Il ne s'agit plus de solidarité compassionnelle ou de remords liés au passé mais d'enjeux que nous devons partager, tant notre sort est devenu commun.

Porter un nouvel engagement

Pour relever les défis planétaires, il faut d'abord maîtriser nos difficultés intérieures. Dans cet univers dangereux, les démocraties doivent défendre leurs valeurs avec courage et unité. Or beaucoup d'entre elles, dont la France, prennent depuis quelques années le chemin inverse. Les inquiétudes nées de la mondialisation ont alimenté les populismes, dont les succès électoraux banalisent leurs excès et compliquent encore les choix, qui s'expriment davantage par le rejet que par l'adhésion. Les minorités religieuses ou ethniques tendent à se replier sur elles-mêmes et à entrer en confrontation avec une majorité angoissée par la diversité des modes de vie et des comportements.

La démocratie mise au défi

La vie politique des États-Unis, de la Grande-Bretagne, de l'Italie ou de la France est marquée par des oppositions et des surenchères qui vont bien au-delà des clivages que connaissaient habituellement les démocraties entre les tenants de la justice sociale et les partisans de la liberté économique. Désormais, les débats portent davantage sur les questions d'autorité, d'identité ou de reconnaissance de la diversité. Sur fond de résurgence des convictions religieuses et d'exaltation de la foi, l'amertume, la colère et la méfiance envahissent le débat public. Ses formes prennent un tour brutal et les réseaux sociaux en amplifient la violence. Les consensus et les compromis sont de plus en plus difficiles à nouer, quand ils ne sont pas regardés comme le début de la trahison. Le vote est contesté dans sa modalité comme dans son résultat. Pour conquérir le pouvoir ou pour empêcher les autres de l'exercer, certaines forces politiques recourent de plus en plus souvent à la radicalité, à la rupture et à la désobéissance. Le compromis, surtout s'il est une habileté, est regardé comme une confusion.

Or la mutation énergétique exigera dans les prochaines années des transformations qu'on a rarement connues dans l'Histoire et qui s'imposeront à tous les gouvernements. Ceux-ci devront les faire accepter par la population tout en maintenant la paix civile et la cohésion sociale. Ils ne sauraient y parvenir sans réduire les inégalités qui fracturent une nation déjà fragmentée selon les territoires, les âges, les revenus et les situations patrimoniales, alors même que beaucoup contestent l'impôt et la contribution sociale faute d'avoir confiance dans l'État et ses représentants. Ces politiques seront d'autant plus difficiles à faire admettre que l'argent redeviendra cher et que les comptes publics sont déjà très dégradés. Il faudra rendre de douloureux arbitrages pour faire prévaloir la sobriété des modes de consommation et restaurer par l'investissement la préférence pour l'avenir.

À cet impératif climatique s'ajoutent désormais les contraintes nées de la nouvelle situation stratégique en Europe. La guerre en Ukraine a suscité effroi et solidarité dans les pays de l'Union. L'emploi d'armes de destruction massive dont la population civile est la première victime, les bombardements incessants à quelques heures d'avion des capitales du continent, l'accumulation des pertes humaines et matérielles poussant à l'exil des millions d'Ukrainiens, cette addition de tragédies a justifié une mobilisation, au moins dans les premières semaines, des opinions publiques, qui ont exprimé un soutien moral, humanitaire et politique à la population ukrainienne.

Économie de guerre

La réaction provoquée par l'intervention russe puis la résistance héroïque de l'armée ukrainienne, provoquant le repli de l'envahisseur, laissaient penser que la guerre serait courte et qu'elle déboucherait assez vite sur une négociation, ce qui justifiait sans doute les propositions de médiation, rapidement devenues illusoires, et les coups de téléphone vides de sens.

La guerre promet d'être longue tant que Vladimir Poutine n'a pas atteint ses objectifs et que Volodymyr

Zelensky n'a pas réussi une contre-attaque susceptible de libérer une bonne part des territoires occupés par la force depuis mars 2022. Les conséquences du conflit se font déjà sentir : hausse des prix de l'énergie, perte de pouvoir d'achat, ralentissement de la croissance, pénurie de biens essentiels, rupture d'approvisionnement en céréales, montée de la sous-alimentation jusqu'à des risques de famine.

Cette nouvelle configuration économique est éminemment dangereuse sur le plan politique. En Équateur, au Nigeria, au Panama et même en Iran, des émeutes ont éclaté, au point que le FMI mais aussi les compagnies d'assurances estiment qu'une progression supplémentaire de l'inflation « présenterait un risque plus élevé que le terrorisme pour les entreprises ».

Dans tous les pays les moins avancés, les manifestations de la faim déstabilisent des régimes. L'exemple du Sri Lanka, où le président fut obligé de quitter en toute hâte son palais, en est un signe avant-coureur. Dans les pays développés, les revendications se multiplient pour indexer les rémunérations sur les prix qui ne cessent d'augmenter et pour plafonner les coûts des énergies fossiles (pétrole et gaz) comme les tarifs de l'électricité, moyennant des compensations budgétaires qui deviendront vite insupportables pour les États. D'autant que le poids des dettes publiques, que la crise sanitaire a déjà notablement alourdi, obligera à des ajustements jusque-là occultés par les gouvernants, ou plus ou moins habilement reportés dans l'espoir d'une accalmie improbable.

Parallèlement, le resserrement des politiques monétaires, justifié par les banques centrales pour maîtriser l'inflation et maintenir à un niveau raisonnable la parité euro/dollar (aujourd'hui dégradée au détriment de la monnaie européenne), aboutira nécessairement à un redressement des taux d'intérêt qui ralentira l'activité économique en pesant sur les investissements et renchérira le recours à l'endettement des acteurs publics comme privés, exerçant ainsi une pression supplémentaire sur la dépense publique.

S'ajoute à ce scénario dépressif la menace d'un arrêt des approvisionnements en pétrole et en gaz venant de la Russie. Pour le moment, Vladimir Poutine n'y a pas intérêt : il a besoin de ces ressources financières pour soutenir son appareil militaire. Mais dès qu'il aura trouvé avec la Chine, l'Inde et l'Afrique les commandes de substitution à la demande européenne, même à des prix moins élevés, il pourra décider de couper brutalement les fournitures pour mieux déstabiliser les pays consommateurs. L'Allemagne s'y prépare, tant sa dépendance est élevée. Les pays de l'Est, par ailleurs les plus hostiles à la Russie, veulent croire qu'ils seront épargnés. La France prend, avec retard, des dispositions pour solliciter des offres alternatives. Mais il faut d'ores et déjà anticiper. Si la guerre se prolonge, les Européens seront contraints de mettre en œuvre un plan de rationnement pour faire face à des hausses de prix insupportables, voire à un soudain arrêt des approvisionnements.

Est-on prêt, socialement et politiquement, à accepter les conséquences d'une « économie de guerre » ? Ne risque-t-on pas des réactions violentes de la part de catégories de la population plongées dans des difficultés économiques ou des arrêts d'activité, et privées d'une solidarité équivalente à celle qui avait présidé au « quoi qu'il en coûte », faute de facilités budgétaires ? Ne peut-on pas craindre une surenchère entretenue par des partis extrémistes qui refuseront les sacrifices, au nom d'arguments sociaux irréfutables, et qui appelleront à un moment ou à un autre à annuler les sanctions contre la Russie ? Marine Le Pen vient, cet été, de le demander. Ou à lever l'embargo sur le gaz ?

C'est bien le calcul de Vladimir Poutine. Il mesure ce qu'il fait endurer depuis des mois à son propre peuple mais il pense, non sans raison, qu'en usant d'une propagande sans contradiction possible et d'un contrôle drastique de l'information, il parviendra à lui faire supporter les sacrifices nécessaires. En revanche, il estime que les sociétés occidentales sont moins robustes et plus impatientes, qu'elles n'accepteront pas de remettre en cause leur niveau de vie et leur mode de consommation. Il compte sur la lassitude des peuples démocratiques, qui supporteront de moins en moins les efforts nés de la guerre, qui craindront de plus en plus une escalade du conflit et se détourneront progressivement de la solidarité avec les Ukrainiens. Bref, pour évoquer une formule de François Mitterrand, les consommateurs sont à l'Ouest et les oppresseurs à l'Est.

Un nouveau civisme

Une politique de défense ne se réduit pas à la fourniture d'armes et à l'envoi de soldats dans les pays voisins de l'Ukraine. Le temps est venu de passer à la résistance active. Elle exige une prise de conscience, une pédagogie et une méthode qui fixent des buts et mobilisent les citoyens. Mieux vaut avoir un peu plus froid cet hiver et moins se déplacer, plutôt que de fournir des ressources supplémentaires à l'effort de guerre russe. Mieux vaut économiser l'énergie et réduire drastiquement notre consommation de gaz et de pétrole plutôt que de rouvrir des centrales au charbon et de retarder ainsi la mise en œuvre de nos promesses en faveur du climat. Mieux vaut fermer temporairement certaines usines et subir un chômage partiel plutôt que de maintenir notre dépendance industrielle en espérant lâchement une accalmie.

Sommes-nous disponibles pour cet acte citoyen et pour nous engager collectivement et individuellement ? Sommes-nous suffisamment lucides pour évaluer la menace qui pèse sur nos démocraties ? Sommes-nous convaincus que pour éviter la guerre il faut utiliser les armes de la paix que sont les embargos, les sanctions, les boycottages ? Sommes-nous prêts à payer un prix plus élevé pour un grand nombre de biens afin de marquer notre civisme et assurer notre sécurité ? Est-ce acceptable pour les catégories les plus fragiles de la population ? Est-ce même concevable pour les travailleurs des secteurs concernés ? Est-ce admissible pour les innombrables victimes d'une inflation qui ampute les revenus fixes d'une ponction invisible et pourtant bien réelle ? Et puisque la réponse est non, qui doit alors compenser ou indemniser les individus et les nations qui participent à cet effort de résistance ? C'est le rôle de l'Europe d'assurer cette mission, y compris en levant des ressources supplémentaires, et aux États d'alléger les fardeaux des ménages ou de réduire les coûts des entreprises qui encaissent ce choc.

Pour faire face à la crise sécuritaire, une nouvelle politique de redistribution s'impose. Il ne s'agit plus de lutter contre un virus mais contre une agression envers nos valeurs. Dans ce contexte, les extrémistes seront mis devant leurs responsabilités : s'ils se détachent de cette cause commune, leur allégeance à nos ennemis et leur pacifisme mâtiné d'égoïsme seront regardés pour ce qu'ils sont : un renoncement et une soumission. Mais les libéraux le seront aussi. À force de contester l'impôt et de refuser la mise à contribution des bénéfices considérables des grands groupes multinationaux ou des revenus indécents des plus grosses fortunes, ils apparaîtront comme aveugles face à l'ampleur des désordres et indifférents devant la tâche commune.

Le spectre de la famine

Les démocraties ne peuvent adopter cette stratégie qu'en y associant les pays les plus fragiles, en Afrique, en Asie et en Amérique latine. Ce sont les plus exposés au risque de pénurie de carburants et de sous-alimentation.

Pendant de longues années, la faim semblait en voie de disparition dans le monde : depuis le début du XXIe siècle le nombre de personnes sous-alimentées était tombé à six cents millions en 2014. Ce chiffre est aujourd'hui revenu à un milliard ! Alors même que la production alimentaire mondiale progresse plus vite que la croissance démographique, cette tendance prévalait avant le déclenchement de la guerre en Ukraine. Elle était le résultat des multiples conflits armés et des guerres civiles qui secouent les pays du Sud, de la corruption et des politiques funestes de plusieurs gouvernements qui négligeaient les zones rurales. La guerre en Europe a brutalement accentué les pénuries, dans la mesure où l'Ukraine est l'un des principaux producteurs de céréales dans le monde. L'insécurité alimentaire touche désormais plus de deux milliards d'individus.

Les tensions actuelles exigent donc de mettre en place un plan pour nourrir la planète. Il doit s'articuler autour de trois principes : la diversification des cultures (au-delà du blé, du riz, du maïs et du soja), la réduction du gaspillage alimentaire (un tiers des nourritures produites n'atteint pas le marché faute de moyens de conservation) et la diminution progressive de la consommation de viande pour respecter nos engagements climatiques mais aussi pour dégager des productions céréalières pour la consommation humaine.

Ce plan est nécessaire pour sauver des vies ; il l'est également pour faire échec à l'agression de Poutine. Si les pays du Sud basculent dans la pauvreté et la désolation à cause des effets de la guerre en Ukraine, nous ne devrons pas nous étonner de les voir choisir le non-alignement. C'est également vrai de grands ensembles comme l'Inde, le Brésil, l'Afrique du Sud, qui sont bousculés par la nouvelle donne internationale et sont soucieux de ne pas rompre avec la Russie. Pourquoi le feraient-ils d'ailleurs, si celle-ci leur fournit du pétrole, du gaz et des armes alors que l'Occident mesure chichement ses investissements et les transferts de technologie qui leur sont liés, et que ces pays ne sont pas intégrés à un réseau d'alliances fondées sur le respect et la réciprocité ? Ne les laissons pas seuls. Dans un monde qui se transforme avec une telle brutalité, quelles seront les puissances capables d'anticiper, de coopérer, de partager et d'ouvrir humblement le dialogue avec d'autres pour instaurer un nouvel ordre planétaire ? Nous devons être parmi les premières d'entre elles.

Définir une politique étrangère
pour la France

Cette nouvelle donne oblige bien évidemment notre pays à repenser clairement les objectifs et les moyens de sa politique extérieure. Celle-ci a connu des variations, des inflexions, des corrections au fil des alternances qui se sont succédé. Mais les grands principes de la diplomatie gaullo-mitterrandiste ont été globalement respectés. Je pourrais les résumer ainsi : la préservation de notre indépendance dans le respect de nos alliances, l'engagement européen pour consolider notre rôle politique, la confiance dans le multilatéralisme pour appréhender les enjeux majeurs de la planète (la paix, le commerce, le système monétaire), le rééquilibrage des rapports Nord-Sud, la défense de l'exception culturelle et la promotion de la francophonie. Tant bien que mal, ces lignes de conduite ont prévalu dans les choix que notre pays a faits depuis trente ans pour assurer sa place dans le monde et pour peser sur le destin de la planète.

Les bouleversements survenus lors de la dernière décennie – dont la guerre en Ukraine est le prolongement le plus tragique – modifient-ils les fondements de notre politique étrangère ou, au contraire, viennent-ils leur conférer une nouvelle légitimité ? Deux options s'offrent à nous. Selon la première, face aux nouveaux empires, il nous faut faire bloc avec les démocraties, conforter nos alliances, nous lier davantage avec les États-Unis et tous ceux qui partagent nos valeurs. C'est-à-dire choisir une forme d'alignement atlantique, sans hiérarchie claire de responsabilités et sans méthode convenue pour prendre des décisions. Ce choix présenterait l'atout de souder davantage le camp occidental et de montrer à nos ennemis potentiels la force de la réaction collective que leurs menaces provoquent. Mais il placerait la France dans une position seconde et la priverait d'une large part des initiatives qu'elle entend prendre en fonction de ses intérêts et des circonstances.

L'autre voie est plus conforme à l'état du monde et à notre volonté d'autonomie et de construction d'une Europe politique : c'est celle d'un resserrement des liens dans l'Union, avec un changement profond des modes de décision et l'acceptation d'une intégration plus poussée avec quelques pays (j'ai développé ce point dans le chapitre « Construire l'Europe politique »).

Cette mutation de l'intégration européenne doit être complétée par la recherche de larges coalitions au-delà du continent. La France est une puissance d'initiative. Elle ne recherche rien pour elle-même et peut mieux que d'autres promouvoir la solidarité internationale autour des biens communs (l'eau, l'air, la forêt, la biodiversité, etc.). Il lui revient d'établir le lien entre la transition écologique et la paix, la relation entre les dérèglements climatiques et le surgissement des crises, les migrations. Cette approche justifie une réforme du système des Nations unies, avec un Conseil de sécurité dont les résolutions contraignantes devraient être élargies aux menaces environnementales et une Assemblée générale dont la mission serait de suivre et d'évaluer la mise en œuvre des objectifs de développement durable et le respect des engagements environnementaux. C'est à la France encore de définir une méthode nouvelle pour appréhender les enjeux du siècle (la démographie, le numérique, le réchauffement, les pandémies…) en soutenant des modèles d'expertise croisant les savoirs dans leur pluralité, à l'exemple du GIEC sur le climat, et débouchant sur des conclusions pratiques et les financements correspondants.

Pour échapper à la logique des blocs qui se reforment ou au clivage entre les démocraties et les régimes autoritaires, il est impérieux qu'un pays disposant d'une hauteur et d'une influence reconnues puisse offrir des solutions, ouvrir des voies, mobiliser des secteurs de toutes sortes (ONG, entreprises, citoyens) pour montrer que l'humanité avance et est capable de résoudre les problèmes qui la menacent ou la divisent. L'enjeu, ce n'est pas de rechercher un statut hors des alliances qui plus que jamais se justifient, c'est d'ouvrir des espaces de négociation et de bâtir de larges coalitions.

La France, qui a toujours promu l'idée d'un monde plus juste autour de règles qui protègent et de mécanismes qui redistribuent, a le devoir, face aux nouveaux géants de l'Internet ou à la puissance des firmes multinationales, de contribuer à la définition de normes capables de corriger leurs excès et de limiter leur influence. C'est le combat pour l'introduction de taxes environnementales ou d'un prix du carbone à l'échelle mondiale ; c'est la lutte contre la fraude fiscale et toutes les formes d'optimisation fiscale ; c'est l'élévation des normes sociales pour la fabrication et donc l'exportation des biens dans le cadre d'un juste commerce. C'est l'instauration d'un dialogue social à l'échelle du monde ; c'est l'exigence de penser l'Internet comme un bien commun, en tant qu'outil d'interconnexion entre pays, entre entreprises et entre sociétés, et donc de le protéger contre les mauvais usages, les comportements monopolistiques et les manipulations étatiques.

La politique étrangère dépasse la simple organisation des rapports entre États. Elle tend aussi à garantir les échanges avec une société civile internationale qui se mobilise pour les libertés personnelles et les biens communs. La France peut incarner cette ambition. Elle est l'une des nations du monde qui, par son histoire, sa culture, ses valeurs et son attachement à la liberté, dispose des moyens d'y parvenir.

C'est particulièrement vrai dans le domaine éminemment sensible des droits humains. La diplomatie consiste aussi à travailler pour l'égalité entre les femmes et les hommes, pour le droit à la contraception et à l'avortement, pour la protection des minorités, pour l'abolition de la peine de mort. Les institutions internationales en fournissent le cadre, les conventions internationales l'instrument, mais les rapports bilatéraux le véritable levier.

Surgit alors la question morale. Sur quel niveau d'exigence en matière de droits fondamentaux établit-on une relation bilatérale ? Peut-on faire commerce de tout avec des pays qui ne respectent rien ? Jusqu'où pousser le compromis entre des intérêts stratégiques et des manquements aux libertés ? Peut-on vendre des armes à n'importe quel pays ? Selon quels critères juger qu'un peuple est libre et ses dirigeants pleinement légitimes ? Ce conflit entre la *Realpolitik*, en d'autres termes la « raison d'État », et les droits humains n'est pas neuf, mais il prend une acuité particulière dès lors que le nouvel affrontement planétaire oppose les démocraties et les régimes autoritaires. Bien sûr on peut rester intransigeant dans le respect des droits humains, refuser toute tolérance envers les pays qui les violent, suspendre le dialogue avec les dirigeants indignes ou corrompus. Mais on s'expose aussitôt à l'accusation de mépris et d'arrogance : les dictatures auront beau jeu de dénoncer notre prétention à imposer un modèle politique unique à toute la planète, qui fait fi des traditions nationales, des identités et de l'indépendance des nations qui choisissent un autre système que le nôtre. Alors privilégions les sociétés civiles plutôt que les États. Adressons-nous aux générations nouvelles plutôt qu'aux élites dépassées. Agissons avec les ONG, les collectivités locales, les entreprises…

La France, avec l'Europe, peut réussir dans cette tâche si elle promeut un développement porté par la mutation écologique et énergétique, et fondé sur un transfert de technologies pour sauter les étapes de la révolution industrielle, si elle mobilise des financements favorisant l'adaptation aux nouvelles conditions climatiques et l'anticipation d'une économie plus sobre et plus inclusive. Là encore, les objectifs de la lutte contre le réchauffement ne doivent pas être présentés comme une façon de contraindre les pays les moins avancés à renoncer au progrès ou de brider les économies émergentes dans leur dynamisme mais, au contraire, comme la meilleure voie pour assurer la satisfaction des besoins de leur population sans qu'il soit nécessaire de détruire la planète.

La France ne mènera pas cette politique extérieure en solitaire. Elle doit agréger, fidéliser, rassembler. L'Europe est notre meilleur vecteur et les pays qui la composent auront à s'inscrire, eux aussi, dans ce mouvement à condition qu'ils aient conscience des risques et des dangers, et qu'ils partagent une conception progressiste de l'organisation du monde. Le plus grand péril qui nous menace dans ce contexte de grands bouleversements c'est le repli, l'indifférence et la peur. C'est la fermeture et la division du monde.

La politique de la France doit faire prévaloir la sécurité collective en ouvrant toutes les possibilités à tous les pays qui entendent librement y prendre leur part. La décennie terrible que nous venons de vivre et l'ère de la guerre dans laquelle nous sommes entrés ne nous conduisent pas à nous retirer de la scène internationale mais au contraire à contribuer à en faire bouger les lignes.

CONCLUSION

Les changements décisifs que nous venons de décrire débouchent au moins sur une certitude : le laisser-faire qui a dominé les échanges depuis quarante ans n'est plus de saison. Les défis redoutables qui se présentent ne seront pas surmontés sans une intervention publique efficace et massive, même si les économies vont rester ouvertes et concurrentielles et que les ressources budgétaires vont être limitées.

Comme l'Union européenne dans son ensemble, la France devra atteindre un triple objectif : se défendre face à des menaces de plus en plus explicites, se réorganiser face à l'exigence climatique et s'impliquer dans les affaires du monde face aux désordres. Seule une politique volontaire, protectrice et émancipatrice, fondée sur la justice sociale et la régulation du marché, peut y parvenir. Elle requiert, compte tenu des choix lourds de conséquences, une participation plus grande des citoyens à la marche des affaires publiques. Elle appelle, compte tenu des sacrifices demandés, une réduction des inégalités de revenus et surtout de patrimoines, et une priorité donnée à l'éducation et à la formation. Elle exige une fermeté contre les insécurités du quotidien et les mises en cause de la laïcité.

Quel que soit le nom qui lui est donné, cette vision s'incarne avant tout dans le courant social-démocrate qui inspire une grande partie des pays européens. C'est ce modèle, s'il est renouvelé et s'il repense le partage entre l'État et le marché, qui permettra d'affronter à la fois l'urgence et le long terme, d'équilibrer l'activité humaine et le respect de la nature, de conjuguer la liberté individuelle et la volonté collective, de trouver un équilibre qui réunisse justice sociale, transformation écologique et refondation institutionnelle dans le cadre d'une Europe plus politique, plus engagée et plus forte.

Paradoxalement, c'est en France que la social-démocratie s'efface alors qu'elle retrouve sa place et son bien-fondé partout ailleurs. Après la séquence électorale de mai et juin dernier, notre pays se retrouve coupé en trois, avec un centrisme opportuniste qui conduira cahin-caha la marche claudicante du pays, et, de chaque côté, deux oppositions dont aucune, pour des raisons différentes, ne représente une alternative crédible. Reconstruire cette famille sociale-démocrate n'est pas une affaire intérieure, c'est une grande tâche internationale et une nécessité démocratique dans un monde qui l'est de moins en moins. Car plus que jamais la frontière entre politique intérieure et action extérieure s'efface. C'est au nom des mêmes principes qu'une grande nation doit agir. De la capacité de la France à redéfinir les clivages pertinents et à clarifier les enjeux majeurs révélés par les bouleversements du monde dépendra la suite de l'aventure européenne mais aussi celle de la place de notre pays. C'est le sens même de mon engagement politique.

TABLE

Cet ouvrage a été composé
par Nord Compo à Villeneuve-d'Ascq
et achevé d'imprimer en novembre 2022
par La Nouvelle Imprimerie Laballery à Clamecy
pour le compte des Éditions Stock
21, rue du Montparnasse, 75006 Paris

Imprimé en France

Dépôt légal : septembre 2022
N° d'édition : 03 – N° d'impression : 211082
61-07-7415/3

Stock s'engage pour
l'environnement en réduisant
l'empreinte carbone de ses livres.
Celle de cet exemplaire est de :
500 g éq. CO_2
PAPIER À BASE DE   Rendez-vous sur
FIBRES CERTIFIÉES   www.editions-stock-durable.fr